Histoire de Paris

YVAN COMBEAU

Professeur des Universités en histoire contemporaine

Huitième édition mise à jour
20e mille

DU MÊME AUTEUR

Paris et les élections municipales sous la Troisième République. La scène capitale dans la vie politique française, L'Harmattan, 1997.
Histoire politique de Paris au XXe siècle. Une histoire locale et nationale, Puf, 2000.

ISBN 978-2-13-060852-3
ISSN 0768-0066

Dépôt légal – 1re édition : 1999
8e édition mise à jour : 2013, février

INTRODUCTION

Paris, fille de la Seine et du roi, est, selon l'expression de Paul Valéry, « la ville la plus complète qui soit au monde ». Complète ? Car il n'en voit point « où la diversité des occupations, des industries, des fonctions, des produits et des idées soit plus riche et mêlée qu'ici ».

En ce sens, tout au long de cet ouvrage, notre ambition première a été de marquer les dimensions exceptionnelles et la place singulière de Paris sur plus de vingt et un siècles d'histoire. Notre ligne directrice était fixée : comprendre la construction de cette capitale politique, économique, culturelle et saisir la mesure de sa prééminence dans l'histoire de France. Dans les limites du présent livre, il nous fallait opérer des choix et adopter des angles d'analyse. Selon les périodes étudiées se sont imposés les thèmes qui apparaissaient les plus significatifs, qu'il s'agisse de la croissance de la ville, de l'organisation de son espace ou du rôle du pouvoir, de la capitale et de ses habitants dans la vie politique française.

En écrivant les pages de cette courte *Histoire de Paris*, nous avons continuellement gardé à l'esprit ces vers du poète Pierre Harel-Darc : « Quelle autre ville que Paris ?, quelle autre ville au monde en pourrait dire autant ?... »

Chapitre I

GENÈSE D'UNE CITÉ

I. – Un site exceptionnel

Évoquer et comprendre l'histoire de Paris, c'est en tout premier lieu reconnaître la place déterminante d'un site qui a été formé entre le Paléolithique et le Néolithique. Élément essentiel de ce site et de son unité : le fleuve de plusieurs kilomètres de largeur que constitue la Seine préhistorique. Le cours d'eau, à l'origine 25 m au-dessus du niveau de la mer, s'est lentement déplacé du lit creusé au pied des collines nord (Chaillot, Montmartre, Belleville) à son tracé actuel (est-ouest) avec le petit affluent la Bièvre. En 1910, les fortes inondations parisiennes ont d'ailleurs fait réapparaître le bras nord initial du fleuve.

Paris a le privilège de naître au cœur d'un carrefour, au milieu d'une convergence naturelle (Beaujeu-Garnier). La Seine est le centre du bassin. Au nord, sur la rive droite jusqu'à Montmartre, se trouve tout d'abord une large zone de marécages (le Marais) ceinturée par une chaîne de collines entre 70 et 130 m de hauteur avec deux étroites vallées (cols de Monceau et de La Chapelle). Jules César évoque un « marais continu » qui se déverse dans le fleuve. Dans le fond du lit du fleuve préhistorique, la boucle dessinée laisse émerger de nombreuses petites îles, premiers refuges des populations : l'île Louviers (réunie à la rive droite en 1848), l'île aux Vaches et l'île Notre-Dame (rattachées dès le XVIIe siècle), l'île de la Cité. Sur la rive

5

gauche, la montagne Sainte-Geneviève est le plus haut point (65 m).

Le sous-sol du bassin sédimentaire est d'une grande richesse : argile, calcaire, sable et gypse. Autant de matériaux qui, avec les immenses forêts entourant la ville, sont à la base de la construction de la ville. Dès le Paléolithique inférieur, il est possible de parler d'un habitat dispersé (Montmartre, Grenelle…) sur le site de la future capitale. Au Néolithique (IVe et IIIe millénaires av. J.-C.), le lieu est occupé par une population sédentaire (élevage, agriculture). À cette période existent déjà des échanges. La Seine et ses affluents jouent un rôle moteur dans la circulation des hommes et des produits. Indices de ces communications, la découverte dans le fleuve de haches venues de l'Europe orientale.

À partir du milieu du IIIe siècle avant Jésus-Christ (entre 250-225), âge du fer, les Parisii, peuple celte qui va donner son nom à la ville, s'installent sur l'île de la Cité. Sur cet oppidum (position de défense), les Parisii fondent leur capitale Lucoticia (Lutèce). Un mur d'enceinte est bâti au tout début du IIe siècle. Des ponts remplacent le bac. Les spécificités du site expliquent grandement le rôle et les activités de ces populations, qui profitent des échanges sur l'axe de circulation Méditerranée-îles Britanniques et se livrent à un important commerce sur la Seine. Le commerce fluvial, mais aussi routier, les taxes appliquées aux échanges lors des passages sur (et sous) les deux ponts rejoignant les deux rives sont à l'origine de la prospérité de Lutèce. Les nautes (corporation des bateliers) occupent d'ailleurs une position dominante dans la vie de l'île. Les statères d'or, monnaie frappée en grande quantité (l'avers présente un profil humain ; le revers, un cheval), témoignent de l'intensité de l'activité économique de la ville. Les récentes fouilles archéologiques sur le site néolithique (Bercy) confirment l'existence d'échanges commerciaux.

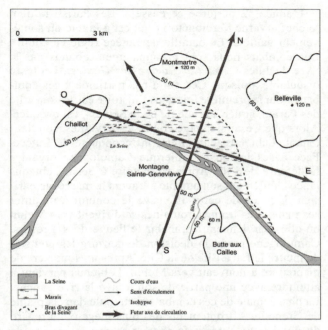

Figure 1. – **Le site de Lutèce**

II. – **Du village gaulois à la cité gallo-romaine**

En décidant (53 av. J.-C.) le transfert de l'Assemblée des peuples gaulois (probablement dans la plaine du Landit, entre Lutèce et Saint-Denis), César renforce la position géographique stratégique de Lutèce et lui confère une fonction religieuse. Un geste impérial qui ne peut être dissocié de l'échec de César dans sa tentative de débarquement en Bretagne et de sa volonté de soumettre les Carnutes et les Sénons. Sa présence lors de la clôture de l'Assemblée souligne la symbolique de sa décision et l'importance qu'il attache à la fidélité des Parisii.

L'année 52 perturbe ce dessein. Les Parisii rallient le chef arverne Vercingétorix qui est à la tête du soulèvement gaulois. La bataille de Lutèce règle ce conflit. Ces combats nous sont principalement connus par le livre de Jules César *(La Guerre des Gaules)*. Un texte discutable, puisque César n'a pas participé à ces combats. Pour la première fois dans l'histoire écrite, « la ville des Parisii, située sur une île de la Seine », est évoquée. Alors que César s'engage contre les Arvernes, son lieutenant, Labienus, entreprend la reconquête de Lutèce. Face à ses légions, l'Aulerque Camulogène organise la défense de l'île. Après sa victoire à Sens, Labienus lance habilement son attaque à travers le marécage parisien. L'échec de cette offensive le conduit à modifier ses plans. Les troupes romaines se dirigent vers Melun où elles parviennent à franchir le fleuve. Pris à revers, Camulogène prend la décision de détruire les ponts et de mettre le feu à l'île de la Cité. Après un simulacre de manœuvre à nouveau vers Melun, Labienus parvient à atteindre avec une partie de son armée la rive gauche. La phase finale de ces combats se déroule dans la plaine de Grenelle. Affrontements des plus inégaux au regard du nombre de soldats de chaque camp : la bataille de Lutèce s'achève dans un bain de sang. Camulogène meurt, la victoire est romaine.

Rome a désormais entre les mains une ville détruite par les incendies, mais elle a reconquis avec ce succès militaire une position cruciale dans la Gaule chevelue, et plus largement dans son empire. Lorsque les Romains prennent possession de Lutèce, l'oppidum n'existe plus. La ville est à reconstruire. Dès le début du Ier siècle, le cadre est fixé avec un quadrillage régulier à partir des deux axes fondamentaux. Le *cardo* (nord-sud) est l'axe principal. Il lie la rive gauche et la rive droite (Grand-Pont et Petit-Pont) et correspond aux rues Saint-Jacques de la cité Saint-Martin. Sur la rive gauche, un cardo secondaire se situait à l'emplacement du boulevard

Saint-Michel. Le *decumanus* (est-ouest) recoupe les rues Cujas, Soufflot et des Écoles. Ces routes larges de plusieurs mètres et pavées de larges dalles de grès sont bordées de villas. Dès le Haut-Empire, parallèlement à l'axe premier constitué par le cardo, les Romains construisent sur la rive droite une seconde voie (actuelle rue Saint-Denis) conduisant vers Rouen. Sur cette même rive, après le Grand-Pont, la route de l'Est (Saint-Antoine, Saint-Honoré) conduit vers Melun. Ces voies ont une vocation essentiellement commerciale. L'île de la Cité maintient sa fonction portuaire (port près du Petit-Pont de bois) et abrite le siège de l'administration romaine.

« C'est au début du IIIe siècle que Lutèce atteignit son plus grand développement. C'était alors une petite ville de négociants qui faisaient un commerce actif sur la Seine et l'Yonne, que parcouraient de Sens à Lillebonne les barques de ses marchands. Elle était en relations avec les villes voisines de Chartres, Rouen, Beauvais, Senlis, Melun et Orléans auxquelles conduisaient ces belles voies romaines presque indestructibles. » (Henri Lemoine.)

Le développement des nouvelles constructions se fait principalement sur la rive gauche (environ 44 ha), davantage protégée des crues. Dans l'esprit des Romains, la civilisation est fondamentalement urbaine. En haut de la montagne Sainte-Geneviève se trouve le Forum découvert en 1860 par Th. Vacquer. Il se situe entre le boulevard Saint-Michel et la rue Saint-Jacques et couvre donc sur sa longueur (près de 180 m) l'actuelle rue Soufflot. Ce bâtiment avait une largeur de 100 m. Il réunit un temple, une basilique civile et un portique intérieur où se placent des boutiques. Il regroupe les activités commerciales et constitue le lieu privilégié des rencontres et le centre de la vie administrative.

Sur cette même rive se situent aussi un théâtre et des arènes. Les arènes sont en fait un somptueux théâtre-amphithéâtre à scène (36 étages de gradins) que les fouilles entreprises à la fin du XIXe siècle (1867) et le travail de restauration ont remis à l'honneur dans l'espace parisien (situé rue Monge). Ce sont plus de 10 000 spectateurs qui pouvaient se réunir dans cet hémicycle de gradins (un chiffre supérieur à la population parisienne). Là se donnent les représentations théâtrales, les jeux du cirque, les combats d'animaux…

Parmi les éléments caractéristiques de l'urbanisation romaine, il faut évoquer le réseau hydraulique mis en place à partir des sources des bassins de Rungis et Wissous. L'aqueduc qui amène ces eaux vers les thermes est long de 16 km. Le débit était de 2 000 m^3 en une journée. La cité possède trois thermes (rue Gay-Lussac, rue Saint-Jacques, Cluny). Les plus célèbres, les thermes de Cluny, datent de la fin du IIe siècle. Les dix années de fouilles commencées en 1946 (sous la direction de Paul-Marie Duval) ont mis en valeur un monument exceptionnel, témoin du faste et de la grandeur des travaux romains. Ces thermes s'étendent sur un peu plus de 6 000 m^2. Les murs de l'entrée ont jusqu'à 2,50 m d'épaisseur. La grande façade nord s'ouvre par 14 baies sur le fleuve. L'édifice comporte un frigidarium (21 m sur 11, 14 m de hauteur). Les eaux de Cluny s'écoulent par un égout jusqu'à la Seine. En dehors de la ville se situent, comme le veut la religion, les cimetières. C'est là un indicateur des limites de l'espace habité. Les fouilles de Vacquer ont permis de découvrir, au Sud de Lutèce, une grande nécropole romaine (rue Pierre-Nicole). Une seconde nécropole a été localisée près de la place Baudoyer.

La Pax Romana est une période faste pour la cité gallo-romaine où vivent près de 6 000 habitants. La ville est un carrefour d'échanges, bien reliée par ses routes vers Orléans, Senlis, Soissons, Reims, Rouen, Chartres… Expression de cette prospérité : l'édification par la riche corporation des nautes du pilier votif en l'honneur de l'empereur Tibère (14-37) et de Jupiter. Les nautes participent d'ailleurs très largement (évergétisme des IIᵉ et IIIᵉ siècles) à l'histoire monumentale de Paris (thermes de Cluny). Ce pilier exprime aussi les convergences, ce qui n'est pas fusion, des deux polythéismes en présence (gaulois et romain), puisque sont représentés Jupiter, Mars, Mercure, mais aussi Cerunnos et Smertios. Cependant, la cité ne doit pas être considérée comme le cœur de la province de Quatrième Lyonnaise au sein de l'Empire romain. Sens demeure la capitale de la province. Une donnée qui explique jusqu'au XVIIᵉ siècle la dépendance de Paris vis-à-vis de l'archevêché sensois.

III. – La citadelle du Bas-Empire

Au IIIᵉ siècle, les premières attaques des Germains (les Alamans dès 275) entraînent un mouvement d'une large partie de la population vers l'île de la Cité. La rive gauche est jugée peu sûre (pillages, incendies sur la montagne Sainte-Geneviève que les fouilles du XIXᵉ siècle ont révélés), et le repli s'impose. Cette migration partielle des habitants s'accompagne d'une démolition des grands monuments de la rive gauche pour consolider l'enceinte autour de l'île. Il faut cependant se garder d'une vision par trop caricaturale. La rive gauche continue à vivre. De même, plusieurs habitations apparaissent sur les hauteurs de la rive droite, longtemps abandonnée.

En ce siècle, le nom de Lutèce disparaît au profit de l'expression « cité des Parisii » *(Civitas Parisiorum)* avant que le nom de Paris soit définitivement adopté. La vie et les activités des habitants se concentrent sur les quelques hectares de la ville fortifiée. Dans ces années marquées par les affrontements militaires sur la frontière du Rhin, Paris occupe une fonction de base arrière pour les armées romaines. Entre 358 et 360, la cité accueille Julien, fils cadet de Jules Constance et neveu de Constantin le Grand, et Valentinien (365-366). Après chaque campagne militaire (victoire sur les Alamans à

Strasbourg en août 357), Julien s'installe à Paris pour la saison d'hiver. À la suite de la décision de l'empereur Constance de lui retirer une partie de son armée, ses troupes le proclament empereur (élévation sur le pavois) en février 360 devant le palais de l'île de la Cité. Avant de quitter la cité et de mener bataille contre les Perses, Julien a rédigé plusieurs textes sur sa chère Lutèce. Ses récits soulignent combien il prend plaisir à vivre dans la ville (douceur du climat et splendeurs de la végétation). Il nous laisse aussi un témoignage précieux sur la citadelle romaine qu'était devenue Paris en cette seconde moitié du IVe siècle.

« Il se trouvait que je cantonnais, cet hiver-là, dans ma chère Lutèce : c'est ainsi que les Celtes désignent le fort des Parisiens. C'est une île de faible étendue au milieu du fleuve, et le rempart l'entoure en cercle de toutes parts ; des ponts de bois, partis de chaque rive, y donnent accès. Le fleuve, au milieu duquel elle est étendue, est paisible et régulier : son eau est très agréable à contempler, tant elle est limpide ; elle est aussi très bonne à boire, et les habitants viennent la puiser à la rivière. L'hiver n'y est pas rude et la clémence de la température est si grande qu'on voit croître, aux environs une vigne de bonne qualité… » (l'empereur Julien).

C'est au milieu du IIIe siècle (règne de Decius) que le christianisme fait réellement son apparition. La tradition dépeint l'évêque évangélisateur saint Denis comme le bâtisseur de l'Église de Paris. La confusion, entretenue par l'ouvrage *Passion* d'Hilduin, abbé de Saint-Denis au IXe siècle, entre saint Denis et Denis l'Aréopagite, disciple de saint Paul, n'est plus de mise. Mais nous ne possédons que peu d'éléments sur sa vie et son rôle, souvent exagéré par les essais hagiographiques (Grégoire de Tours). La légende a surtout retenu les circonstances de sa mort (vers 250) sur le mont des Martyrs (Montmartre). Arrêté, avec Rustique et Éleuthère, par le préfet Fescenninus, il est décapité. Il aurait alors ramassé sa tête et marché 6 000 pas jusqu'au bourg de Catulliacus, actuel Saint-Denis (miracle de la céphalophore). Le développement du christianisme nous est connu par quelques faits et dates. Le premier évêque de Paris est Victorin. En 360 se réunit un concile. Quant à la première église parisienne, sa construction est datée du IVe siècle. Elle sera dédiée à saint Marcel, neuvième évêque (mort en 435).

Dès les premières années du Ve siècle, les invasions barbares sont plus nombreuses. En 406, le Rhin, pris dans les glaces, n'est plus un obstacle. Les Wisigoths, les Burgondes, les Francs, les Alamans occupent la Gaule. Épargné dans un premier temps, Paris fait face à partir du milieu du Ve siècle aux attaques des Huns. En 451, Attila, après avoir dévasté Trèves, Metz et Reims, prend la direction de Paris. Personnage central de l'histoire parisienne de ce Ve siècle, sainte Geneviève (422-502), née à Nanterre, sainte patronne de la cité, appelle à la résistance. Elle est présentée dans de nombreux textes comme une bergère, guérisseuse de malades par des onctions d'huile, ayant réalisé plusieurs miracles. La principale source de ces légendes *(La Vie de sainte Geneviève)* est cependant un document essentiel pour le récit de ces événements et l'histoire de Paris au Ve siècle. Sainte Geneviève impose le combat aux Parisiens qui préféraient la fuite et illustre ainsi la perte d'influence de l'armée romaine dans la province (476 : dernier empereur Romulus Augustule). Les Huns décident finalement de marcher sur Orléans et se détournent de Paris. Ce n'est qu'un court répit, puisque, en 470, les Francs saliens conduits par Childéric Ier (436-481, père de Clovis) pillent les campagnes sur l'Ouest de Paris et assiègent la ville. Ce siège dure un peu plus de dix années. Sainte Geneviève réussit à briser le blocus et à ravitailler la population parisienne avec du blé de la Brie et de la Champagne grâce à la circulation d'une flottille de bateaux (11 péniches) sur la Seine et l'Aube jusqu'à Arcis-sur-Aube. En 481, Clovis, âgé de 16 ans, règne sur un territoire comprenant la Belgique et une partie du Nord de la Gaule. Cinq ans plus tard, il abat le dernier symbole de l'Empire romain (Syagirus) à Soissons. Sans mener de guerre contre la ville, Clovis parvient, en accord avec sainte Geneviève, à occuper Paris. Il est désormais maître de toute la partie de la Gaule située au nord de la Loire. Converti au catholicisme par son épouse (la reine Clotilde, princesse burgonde catholique) et les évêques Avit et Rémi, il est baptisé à Reims par saint Rémi au milieu de ses soldats en l'an 496. Paris devient la capitale de son royaume.

Chapitre II

LA VILLE MÉDIÉVALE

I. – La ville mérovingienne

À partir de 486, Clovis règne pendant près d'un quart de siècle sur Paris. Sainte Geneviève, qui a accepté de pactiser, meurt en 502 à l'âge de 80 ans. En 507 (Vouillé), Clovis écrase les Wisigoths. En 511, Clovis est proclamé roi des Francs rhénans. En 508, Paris, siège du roi, peut désormais être considérée comme la capitale du vaste Royaume mérovingien.

Sous Clovis Ier, puis son fils Childebert, Paris a conforté son autorité politique, mais elle exerce aussi une forte influence religieuse. Dans la vie de Paris, la place du religieux est de plus en plus éclatante. Elle se marque tout d'abord par les très nombreuses constructions d'églises et abbayes. Comme le note Alfred Fierro : « Paris se couvre d'églises sous les Mérovingiens. » Elles se localisent principalement sur la rive gauche. Clovis décide l'édification (507) d'une église en l'honneur des apôtres Pierre et Paul sur le haut de la montagne Sainte-Geneviève (proche de l'ancien forum). Il s'y fait ensevelir en 511. Sont aussi bâties, en cette période, l'église Saint-Marcel, l'église de Saint-Julien-le-Pauvre, proche du Petit-Pont. En 543, Childebert fonde la basilique Sainte-Croix-Saint-Vincent (Saint-Germain-des-Prés) où sont conservées des reliques royales. Plusieurs couvents s'implantent : Saint-Christophe et Saint-Martial dans l'île de la Cité, pour les femmes ; Saint-Laurent et Saint-Vincent sur chaque rive, pour les hommes. La force du religieux est aussi remarquable lorsque l'on dénombre les conciles tenus à Paris (six dans la seconde moitié du VIᵉ siècle).

Au Vᵉ-VIᵉ siècle, la population se situe entre 15 000 et 20 000 habitants. Malgré l'incendie qui, en 585, la dévaste partiellement, l'île de la Cité demeure le cœur de la ville. La forteresse s'ouvre au nord et au sud par deux larges portes situées sur le tracé du cardo. À l'intérieur se retrouvent les pouvoirs royaux, religieux et l'embryon des futurs centres d'enseignement. La grande cathédrale Saint-Étienne, une des plus grandes églises de Gaule, est bâtie sous le règne de Childebert. Située sur l'emplacement de l'actuelle Notre-Dame, elle se compose de cinq nefs.

Les activités économiques de l'île sont toujours étroitement liées au commerce fluvial avec Auxerre et Rouen, à la fabrication d'orfèvrerie (près du Petit-Pont) ou de verreries. De la porte nord à la porte sud, les rues sont bordées de magasins. L'atelier parisien d'émissions des monnaies (le deuxième après Marseille) frappe les trémisses, pièces d'or qui circulent tant en Gaule qu'en Angleterre. La présence de marchands venus d'Orient (Syriens, Juifs) confirme l'intensité des échanges et l'attrait des ports et des foires de la cité. La communauté juive est regroupée près de la porte du Midi dans la rue des Juifs. L'époque mérovingienne voit la croissance (habitants et édifices) des deux rives. Les églises Saint-Jacques-de-la-Boucherie, Saint-Gervais et Saint-Jean-de-Grève sont construites sur les deux hauteurs de l'Est de la rive droite. Sur cette même rive, le port (la Grève) est un pôle très actif de l'économie parisienne.

À la mort de Clovis, son royaume est partagé entre ses quatre fils. Paris devient un enjeu pour ses successeurs. De Childebert à Clotaire II, la ville conserve, voire renforce son autorité politique. Mais elle est surtout une place convoitée qui légitime nombre de rivalités entre les trois royaumes (Austrasie, Neustrie, Bourgogne). À la mort de Childebert, ses fils (Clotaire et Caribert) se déchirent pour la possession de Paris. À partir de la mort de Caribert, la capitale est le bien commun de tous les royaumes mérovingiens. Aucun des souverains ne peut y résider sans le consentement des deux autres.

La fin du VIIᵉ siècle marque le déclin du rôle politique de Paris. Déjà Clotaire II installe son palais à Clippiacus (Clichy). Autre signe tangible de cette perte d'influence : l'absence de toute nouvelle monnaie au cours du siècle. Le pouvoir est désormais caractérisé par son errance. Les monarques (dits rois fainéants) se déplacent de palais en palais. La victoire de Pépin II de Herstal, maire du palais, à Tertry (687) raffermit le poids de l'Austrasie, l'axe dominant constitué par la vallée de la Meuse, la force de la dynastie des Pippinides et *a contrario* l'abaissement de la Neustrie et donc de Paris. C'est d'ailleurs à Soissons en 751 que Pépin III le Bref (fils de Charles Martel) se fait élire roi. Son successeur, Charlemagne, construit sa résidence principale à Aix-la-Chapelle. Sous les Carolingiens, Paris est réduite à l'ordinaire : une ville de second rang.

C'est un mouvement extérieur au Royaume, les attaques normandes, qui paradoxalement redonne son prestige à Paris.

Les invasions normandes débutent véritablement dans les années qui suivent la fin du règne de Louis le Pieux (840). Dès 845, la Seine devient le principal vecteur de ces vagues d'envahisseurs vikings. En 856-857, ils occupent la rive gauche, pillant et dévastant les églises, abbayes et les terres cultivées. L'abbaye de Saint-Germain-des-Prés est détruite et incendiée (861). Plus que jamais, l'île devient le lieu du repli. Le 24 novembre 885, ce ne sont pas moins de 40 000 Normands et 700 vaisseaux sous le commandement de Siegfried qui se présentent devant Paris. L'évêque Gozlin leur refuse le passage vers l'amont du fleuve. Le siège de deux années, les assauts des envahisseurs, l'héroïque combat des Parisiens (le célèbre épisode du Petit-Pont, le 6 février 886), le courage du comte de Paris, Eudes, fils aîné de Robert le Fort, nous sont largement connus par le récit d'Abbon (moine de Saint-Germain-des-Prés). Si les rives sont fréquemment dévastées, l'île-forteresse (constructions de tours sur les ponts) résiste à toutes les offensives. Les protections s'étendent afin de préserver le bourg de Saint-Germain-de-l'Auxerrois. En 887, le prestige de la ville est redoré. Non seulement Paris a vaillamment défendu son espace, mais encore les Parisiens ont combattu pour la défense de l'intégrité du Royaume.

II. – La capitale des Capétiens

Au-delà de ces batailles se prolonge l'ascendant du comte de Paris, Eudes, et de la dynastie robertienne. Inversement, Charles le Gros est déconsidéré par sa capitulation devant les envahisseurs. Il est destitué en 887. À sa mort (888), les grands du Royaume procèdent à l'élection d'Eudes comme roi. Charles le Simple (fils posthume de Louis II) n'accepte pas la désignation d'un non-Carolingien. Sacré en 893, il ne règne véritablement qu'après la mort d'Eudes (898). Ces différends dynastiques ne sont pourtant pas consommés. En 922, Robert Ier, frère d'Eudes, est élu roi de Francie occidentale. Après la domination d'Hugues le Grand (habile politique entre les Carolingiens et les Othoniens), son fils, Hugues Capet, est proclamé roi de France (987). Pendant trois siècles, les Capétiens font de Paris leur capitale. Avant de tenir le premier rang (vers le XIIe siècle), la ville doit dans un même temps sortir de la situation catastrophique issue des invasions et reconquérir sa place face aux cités concurrentes des puissants vassaux. Les successeurs d'Hugues Capet ne vont pas cesser de batailler pendant plusieurs décennies pour redonner à Paris un espace, un pouvoir. Philippe Ier annexe le Gâtinais, Gisors, Bourges. Louis VI assure la sécurité du domaine royal. Philippe Auguste agrandit ce domaine (le multipliant par quatre) et s'impose à ses vassaux. Paris s'est ainsi affirmée.

Pourtant, la ville est encore profondément marquée par cette longue période d'invasions. Le comté de Paris *(civitas)* garde de profondes traces des dévastations normandes. Sur la rive gauche, la plus touchée, nombre d'églises sont toujours à l'état de ruine. En 1111, les deux ponts de l'île de la Cité sont encore incendiés par le seigneur de Meulan (situé sur les hauteurs de Saint-Gervais).

Dans l'île de la Cité se concentre toujours une large partie de la population et des habitations de la ville. Roi et évêque exercent une domination concurrente. La restauration par Robert le Pieux (970-1031) du palais de la Cité (Ouest de l'île) est le symbole de la reconquête de l'autorité royale dans la vie des Parisiens. La résidence royale est établie pour plusieurs siècles. Jusqu'au milieu du XVe siècle, le Palais est la demeure des rois de France.

L'île se caractérise par ses ponts, ses petites ruelles, ses échoppes, ses marchés (parvis Notre-Dame) et son port. Les ponts ont toujours été des éléments vitaux pour l'île. Le Petit-Pont la relie à la rive droite ; le Grand-Pont, à la rive gauche. Il faut ajouter « les Planches de Mibray », passerelle construite en bois (pont Notre-Dame). Axe majeur du cœur de la ville : le tracé couvrant la rue du Petit-Pont, la rue de la Juiverie, la rue de la Lanterne et la rue de la Vieille-Draperie. Le nombre important de boutiques souligne le renouveau du commerce et la circulation des marchandises. La halle au blé se situe dans la rue de la Juiverie. Sur les côtés de ces rues étroites (4-5 m) se dressent les maisons des plus humbles (deux ou trois étages construits en torchis et en bois), des demeures bourgeoises (avec cheminée et cuisine) et des hôtels opulents.

Dans l'espace de l'île de la Cité, l'Église est fortement présente (richesse du clergé, églises...). Le Palais épiscopal (à l'est) se présente comme le pendant du Palais-Royal. L'évêque possède une large fraction des terres parisiennes (Cité et les deux rives). La cathédrale Notre-Dame romane (reconstruite en partie après les invasions normandes) est une imposante construction localisée à l'est de l'ancienne église Saint-Étienne. Son parvis, place encore de petites dimensions, accueille un marché. La force spirituelle se marque aussi par la création, dans les premières décennies du XIIe siècle, de trois paroisses (Saint-Pierre-des-Arcis, Saint-Pierre-aux-Bœufs et Sainte-Croix).

Les hôpitaux, à l'instar de l'Hôtel-Dieu, accueillent les plus pauvres. Construits aux abords de la cathédrale ou d'un couvent, les hôpitaux sont l'œuvre de l'Église. Le personnel est uniquement religieux. Les malades et les démunis reçoivent soins et nourriture. Au XIIIe siècle est fondée par Louis IX la maison d'aveugles des Quinze-Vingts. Un nom qui est dû au nombre d'aveugles reçus : 300, soit 15 fois 20. Il faut attendre le XIVe siècle pour constater la présence permanente de médecins et de chirurgiens dans les hôpitaux.

Dans les rues et les venelles de Paris marchent les hommes et gambadent les animaux. La mort du prince Philippe n'est-elle pas causée par la peur de son cheval qui se cabre et l'envoie frapper une borne, devant le déferlement de cochons dans une rue près de Saint-Gervais ? Quant aux eaux sales, elles coulent sur les pavés et finissent le plus souvent leur course dans la Seine ou la Bièvre.

Mais la cité-forteresse est un espace réduit de quelques hectares. Désormais, hors des murailles, le nombre des habitants ne cesse de croître. À la fin du XIe siècle, la rive droite se compose essentiellement de Saint-Germain-l'Auxerrois, Saint-Gervais et Saint-Martin-des-Prés. Le mouvement marquant des XIIe et XIIIe siècles capétiens réside certainement dans l'essor de la rive droite. Comme le note Jacques Boussard : « La rive droite fut la première à se développer en quartier commerçant. » Certes, il existe déjà des implantations, mais le développement du port le long du quai de Grève est à l'origine d'un quartier de marchands (viandes, poissons) et d'artisans. Le plus large des bras de la Seine offre de meilleures possibilités d'accostage. Là arrivent le charbon, les vins, le bois, le sel ou les grains. Décision de grande importante pour la rive : l'aménagement du plus grand marché de Paris sur l'écart « les Champeaux ». Un site des plus propices aux échanges, puisqu'il associe le commerce fluvial, les liens avec la Cité, les routes vers la Manche et le Nord du Royaume. Près du Châtelet, solide forteresse édifiée par Louis VI le Gros, se multiplient les métiers de la boucherie (rue de la Grande-Boucherie, rue de la Tuerie). Quant aux changeurs de monnaies, ils se retrouvent sur le Grand-Pont (Pont-au-Change). Enfin, le drainage des marais de l'ancien lit de la Seine apporte à la ville un espace maraîcher (fruits, légumes). Le développement du commerce fluvial est à l'origine, au début du XIIe siècle, de la naissance de la puissante corporation des marchands de l'eau dont le rôle dans la vie de Paris sera si déterminant.

Au regard d'une telle croissance, la rive gauche paraît connaître une phase de stagnation. Autour des trois abbayes (Saint-Germain-des-Prés, Sainte-Geneviève et Saint-Marcel), le site se présente comme un territoire couvert de champs et de vignes. Son essor est avant tout lié à la vitalité du renouveau intellectuel entre le XIIe et le XIVe siècle. Abélard symbolise ce mouvement. Élève de Guillaume de Champeaux (école du cloître de Notre-Dame), il ouvre sa propre chaire dans le cloître de Sainte-Geneviève. Pendant plus de trente années, Abélard, le philosophe, le moine, se démarque du pouvoir de l'évêque et enflamme une partie de la jeunesse de Paris. Combattu par l'Église, condamné par le concile de Sens, il finit son existence à l'abbaye de Cluny. Toute sa vie, Abélard a joué de la dispute, de l'argumentation. Il est un des pères de la future université de Paris. L'abbaye de Saint-Victor devient au fil des décennies un foyer essentiel de la vie religieuse. Son école, fondée par Hugues de Saint-Victor, accueille de nombreux maîtres (Achard, Richard ou Thomas Gallus). Une fonction perpétuée à la fin du XIIᵉ siècle par l'école de Sainte-Geneviève.

III. – L'empreinte de Philippe Auguste

Dans l'œuvre des Capétiens, Philippe Auguste (huitième descendant du frère d'Eudes) tient une place d'exception. Son règne (1180-1223) constitue une phase d'accélération dans l'histoire de Paris. C'est bien « entre le XIIᵉ et le XIIIᵉ siècle que Paris cesse d'être ce simple carrefour » (Jean Favier). Le roi fédère le pouvoir de la noblesse, de l'Église et le dynamisme commercial de la bourgeoisie parisienne. Au début du XIIᵉ siècle, Paris est encore administrée par le prévôt du roi, représentant du souverain dans la capitale. La ville n'est pas une réelle municipalité au sens où elle n'a pas été directement concernée par le mouvement communal et n'est pas régie par une charte comme Laon ou Cambrai. Avec la croissance urbaine et la vitalité du commerce fluvial, la dualité des pouvoirs (prévôt du roi et prévôt des marchands) s'impose progressivement. La bourgeoisie acquiert une position centrale dans l'administration de la ville. Dès 1160, elle désigne un prévôt et quatre échevins. Quels sont les grands travaux de ce souverain (« premier roi de Paris et second fondateur après Clovis ») ? Philippe Auguste est à la fois un bâtisseur (rues pavées, Louvre…), l'unificateur de la ville (sécurité de l'enceinte, administration avec les bourgeois) et le fondateur de l'université.

Ce souverain se passionne pour l'urbanisme de la ville qui compte alors près de 20 000 habitants (chiffre avancé par Michel Robin). Par une décision datant de 1186, il entreprend un grand chantier : l'amélioration de la voirie. Depuis le pavage romain, les rues sont recouvertes d'une boue pestilentielle. Il s'agit de mettre un terme aux dangers de la circulation sur de telles voies glissantes, à l'absence d'hygiène et aux très mauvaises odeurs qui incommodent toute la ville. La rue Barillerie (entre la rue Calandre et la rue de la Draperie), qui fait face au Palais-Royal, est la première concernée. Les principales artères (vers les ponts et les portes) et les places sont progressivement repavées de solides pierres carrées. Le roi est aussi le père des futures Halles. Il a largement impulsé le développement du quartier des Champeaux et les activités commerciales qu'il abrite. Les marchands bénéficient désormais de deux halles couvertes. Mais Philippe Auguste est probablement d'abord connu des Parisiens pour l'enceinte qu'il a fait construire. Cette muraille (voir figure 2, p. 25) établit les limites de la ville et la protège des invasions. Elle est l'expression d'une volonté royale conjuguant la défense et le souci de sécurité avant le départ du roi en croisade, et la concrète réalisation d'un projet associant l'argent de la ville et du roi. Dans un premier temps (1189-1190), ce rempart de 2 m d'épaisseur ne concerne que les quartiers de la rive droite. Vingt années après, l'enceinte se déploie sur la rive gauche (murs de 8 m de haut). Ces deux demi-cercles de chaque côté de la Seine s'ouvrent sur six portes en direction de Rouen, Dreux, Orléans, Sens… L'enceinte est un élément unificateur (la conscience d'être une unité) dans l'histoire de Paris. Elle marque une étape dans la croissance des quartiers. En un quart de siècle, Paris devient la première place forte du Royaume. À ce dispositif s'ajoute la forteresse du Louvre. Le nom s'explique par le lieu, ancienne louveterie, sur laquelle est dressé le bastion. À l'intérieur de l'enceinte, le roi décide l'édification (1190-1202) d'un donjon circulaire (à la base 15 m de diamètre, 31 m de hauteur, murs de 4 m d'épaisseur) entouré de quatre tours (25 m de hauteur). Dans le système défensif de la capitale, c'est une pièce impressionnante qui domine la cité et permet de surveiller la campagne environnante. Symbole du Royaume ? Cœur du Royaume ? Le Louvre ne devient résidence royale qu'avec Charles V.

Le XIIᵉ siècle voit la confirmation des pôles d'enseignement qui se sont développés sur la rive gauche. En 1200, le roi accorde aux écoles un privilège considérable en les plaçant hors du champ d'autorité du prévôt royal. Cet acte de Philippe Auguste rédigé en ce début de siècle a souvent été considéré comme l'acte de naissance (et, plus sûrement, de reconnaissance) de l'université. Ainsi, son auteur est fréquemment présenté comme le père fondateur de l'université de Paris. Par-delà la puissance royale, le débat se poursuit au sein de l'Église. L'opposition entre l'évêque et l'abbé de Sainte-Geneviève est l'aboutissement d'une situation née du refus des maîtres et des étudiants de subir la domination du chancelier des écoles cathédrales. En 1221, le pape Honorius III (1216-1227), en se rangeant aux côtés de sainte Geneviève, renforce la position de ce qui va bientôt devenir le Quartier latin.

« Il [Abélard] avait semé sur la montagne Sainte-Geneviève des graines qu'aucun concile ne pouvait extirper. Sa méthode d'enseignement, reprise par ses disciples, continua d'attirer des étudiants de tous les pays, et de former des maîtres. Son "école" lui survécut si bien qu'elle dure encore ; elle fut l'embryon de l'institution qui, moins de soixante-quinze ans après la mort d'Abélard, reçut officiellement le nom d'université de Paris. » (Maurice Druon.)

Dès 1215, les premiers statuts de l'université de Paris sont fixés par Robert de Courçon. Elle seule décerne les titres de bachelier, de licencié ou de docteur. Un pas considérable vers l'autonomie de l'université est franchi avec la bulle papale *Parens scientanorum* (1231) signée par Grégoire IX (1227-1241). Les études s'organisent au travers de quatre facultés (arts et lettres, médecine, droit canon, théologie).

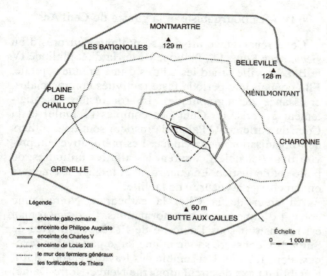

MONTMARTRE

LES BATIGNOLLES ▲ 129 m

BELLEVILLE
▲ 128 m

PLAINE
DE
CHAILLOT

MÉNILMONTANT

CHARONNE

GRENELLE

Légende

—— enceinte gallo-romaine
- - - enceinte de Philippe Auguste
—— enceinte de Charles V
······ enceinte de Louis XIII
······ le mur des fermiers généraux
—— les fortifications de Thiers

▲ 60 m
BUTTE AUX CAILLES

Échelle
0 ___ 1 000 m

Figure 2. – **Les enceintes de Paris
de la muraille gallo-romaine aux fortifications**

Tout au long du XIIIᵉ siècle, le Quartier latin prend forme. Ce sont près de 10 000 étudiants qui étudient et vivent (tapage, jeux, rixes…) sur la rive gauche. Les collèges *(Collegium pauperum magistrorum)* – en fait, de petits hôtels de médiocre construction – accueillent les « escholiers » les plus pauvres qui y sont logés et nourris. Le plus célèbre (le plus ancien), future Sorbonne, est fondé rue Coupe-Gueule en 1253 (ouvert véritablement en 1257) par le chapelain de Saint-Louis, Robert de Sorbon, qui devient l'un des protecteurs de l'établissement. De grands noms de l'histoire de France (Condé, Richelieu ou Mazarin) et des maîtres prestigieux (Guillaume de Saint-Amour ou Henri de Gand) contribuent grandement à l'essor de cette institution.

IV. – La bourgeoisie et la guerre de Cent Ans

Cette renaissance urbaine se prolonge sur près d'un siècle avec Louis IX, Philippe III le Hardi et Philippe IV le Bel. La ville prend les allures d'une grande capitale. Elle connaît une période faste (activités commerciales, croissance démographique). Le roi réside essentiellement à Paris. La Cour des comptes (Temple) et la Cour du parlement (Palais de justice) sont deux piliers de l'organisation monarchique. Les prérogatives du prévôt royal (Châtelet) couvrent les affaires militaires, de police et de justice. Le guet royal et le guet des métiers ont en charge la sécurité de la ville.

Au cœur de la Cité, la cathédrale Notre-Dame connaît d'importantes transformations. L'édifice roman est reconstruit sous l'autorité de l'évêque Maurice de Sully. Il y consacre sa vie et une large part de ses revenus. Pour faciliter l'ensemble des travaux (1160-1330), il établit un axe de circulation (rue Neuve-Notre-Dame) devant la cathédrale. Tout au long du XIIIe siècle, Jean de Chelles puis Pierre de Montreuil donnent à l'édifice la splendeur que nous lui connaissons (les portails, les galeries, les tours sur une hauteur de 69 m). Avec la Sainte-Chapelle, Louis IX offre à Paris un chef-d'œuvre architectural. Inauguré en 1348, après cinq à six années de travaux, l'ouvrage exprime admirablement la majesté et l'élégance de l'art gothique.

L'histoire de Paris ne peut être distincte de l'histoire de France. En 1328, lorsque meurt le dernier des Capétiens directs, Charles IV, la ville est rapidement au cœur de la bataille dynastique qui oppose Français et Anglais.

Dès 1346, Paris doit de nouveau faire face à la guerre que conduit Édouard III. Il lui faut préparer sa défense. À ces ambitions dynastiques se juxtapose un conflit entre les bourgeois parisiens et le roi à propos des exigences royales en matière d'imposition (croisades, rançon en cas d'emprisonnement...). Depuis plusieurs décennies, les bourgeois ont le sentiment d'être durement touchés par les tailles (aides et maltôtes). Avec la guerre, la pression fiscale ne cesse de s'accroître. En novembre 1347, Philippe VI réunit les états généraux à Paris. Au lendemain des sévères défaites de Crécy (août 1346) et de Calais (août 1347), le roi a grand-peine à obtenir des bourgeois les subsides nécessaires pour renforcer son potentiel militaire (soldats, chevaux, navires...) face à l'Angleterre. Philippe VI puis Jean le Bon profitent de cette période de non-guerre (1347-1355) pour lever une armée et reconstruire sa flotte. En septembre 1355, le Prince Noir, fils d'Édouard III, débarque à Bordeaux. En quelques mois, les états généraux sont convoqués à deux reprises (nov. 1355, mars 1356). Il s'agit chaque fois de débattre d'aides financières et de nouvelles impositions. L'année 1356 est aussi marquée par deux dévaluations de la livre. La défaite française à Poitiers (19 septembre 1356) et l'emprisonnement du roi permettent au prévôt des marchands de Paris, Étienne Marcel, de jouer sa propre partition. Ce riche drapier est issu d'une des grandes familles bourgeoises parisiennes. Accusant le monarque et la noblesse d'incapacité, le leader du tiers état exerce sa domination avec l'aide de l'évêque de Laon (Robert Le Coq) sur les états généraux réunis dans le parlement de Paris (oct. 1356). Il contraint le jeune dauphin, Charles, âgé de 18 ans, à la création d'un Conseil de gouvernement (mars 1357). Cette ordonnance établit un régime d'assemblée et porte atteinte au pouvoir monarchique. Alors que Jean II tente d'obtenir la signature d'un traité de paix avec les Anglais, Étienne Marcel décide la construction d'une enceinte afin d'intégrer les nouveaux quartiers de la rive droite. L'enceinte, la troisième après la muraille gallo-romaine et l'œuvre de Philippe Auguste, portera le nom de Charles V (1338-1380). Sa construction nécessite près d'un quart de siècle de travaux, qui se déroulent dans une phase de paix. La muraille court sur 5 km. C'est un dispositif des plus impressionnants avec deux fossés larges et profonds. Le Louvre est désormais situé à l'intérieur de l'enceinte. Six bastides (Saint-Honoré, Montmartre, Saint-Denis, Saint-Martin, Temple et Saint-Antoine) renforcent le dispositif. Pièce maîtresse de ce rempart, la forteresse de la Bastille (bastide de Saint-Antoine). Sur la rive gauche, l'enceinte de Philippe Auguste est remise en état.

Étienne Marcel compte dans sa stratégie personnelle sur le soutien de Charles le Mauvais (1322-1387). Les tensions s'exacerbent au début de l'année 1358. Chaque camp assassine : le massacre de Jean de Conflans, maréchal de Champagne, et de Robert de Clermont, maréchal de Normandie, dans la chambre même du dauphin répond au meurtre de Perrin Marc. Étienne Marcel, maître de la ville, coiffe le dauphin du chaperon aux couleurs de Paris (bleu et rouge). Il veut maintenant propager à la province ce mouvement de révolte communale. Si l'on excepte l'engagement à ses côtés d'Amiens et Laon, les autres villes ne s'associent pas à ce dessein. Au contraire, Charles contre-attaque. Il se proclame régent et affirme ainsi sa volonté de régner. Avec l'appui de la noblesse des États de Champagne, il organise le siège de Paris. L'alliance tactique d'Étienne Marcel avec la Jacquerie et Guillaume Carle ne lui donne qu'un court répit. Pour continuer de s'imposer dans Paris, il se rallie à Charles le Mauvais et aux Anglais. Le 22 juin 1358, les troupes anglo-navarraises pénètrent dans la capitale. Étienne Marcel est en fait isolé. Il ne parvient pas à mobiliser les villes flamandes, et les bourgeois se montrent de plus en plus hostiles devant cet acte de trahison parisienne. L'échevin Jean Maillard symbolise ce retournement d'une partie de la bourgeoise de la ville en faveur du régent. Le 31 juillet 1358, alors qu'Étienne Marcel tente d'ouvrir aux Anglais les portes de la capitale, il est assassiné par Maillard. Le 2 août, le régent rentre dans Paris.

Paris et Charles se retrouvent. Le régent réunit dans la capitale les états généraux du Royaume. Les bourgeois parisiens refusent le traité de paix de Jean II (« traité ni passable ni faisable ») et concèdent de nouveaux subsides pour la poursuite de la guerre (« ordonnèrent de faire bonne guerre auxdits Anglais »). Paris exprime là ce sentiment national qui progresse dans le Royaume. Cette volonté de résister aux Anglais se manifeste en ces années par les travaux de l'enceinte dite de Charles V (roi depuis 1364). En 1380, Charles VI, sacré à Reims, fait une entrée triomphale dans Paris. Cette alliance entre la ville et son roi ne peut cacher le climat de tensions que connaît la cité. Les bourgeois et la monarchie sont confrontés à ce permanent problème financier : comment soutenir l'effort de guerre sans faire subir aux Parisiens une pression fiscale (directe et surtout indirecte) qui soit insupportable ? Dans une ville épuisée par la Peste noire, affaiblie par les mauvaises conditions économiques, la moindre convulsion peut créer des émeutes dévastatrices. En novembre 1380, ce sont les Juifs qui sont la cible (les boucs émissaires) du mécontentement populaire. En décembre 1381, Hugues Aubriot, prévôt royal, est accusé par une foule regroupant étudiants, bourgeois et ecclésiastiques. Dans ce même contexte survient la révolte dite des Maillotins (mars 1382). À l'origine de ce soulèvement d'une partie de la population : le refus des impôts indirects qui pèsent durement sur le petit peuple. Pendant plusieurs semaines, maîtres des quartiers, ils circulent dans les rues armés de petits maillets en plomb (d'où le nom donné à cette émeute) et occupent l'Hôtel de Ville et l'Arsenal. Ils s'attaquent aux collecteurs d'impôts, aux maisons des riches bourgeois. En janvier 1383, les armées royales répriment brutalement les émeutiers. Le 21 janvier, dans la grande salle de son Palais, Charles VI sanctionne durement la ville : perte de toute autonomie, suppression de la prévôté des marchands et de l'échevinat. Paris est privée temporairement de ses libertés municipales. La ville profite des luttes intestines puis de la guerre civile (Armagnacs contre Bourguignons) liées aux crises de folie du roi. Avec Jean Jouvenel, la capitale retrouve un prévôt des marchands. Jean sans Peur, duc de Bourgogne, promet le retour à l'autonomie de l'administration (ordonnance royale du 20 janvier 1412) et compte ainsi gagner la sympathie de la bourgeoisie. L'année 1413 est dominée par les émeutes dirigées par Simon Caboche. Cet écorcheur donne son nom au mouvement dit cabochien qui impose la terreur dans les quartiers parisiens. Avec la puissante et redoutée corporation des bouchers, il est l'instrument politique de Jean sans Peur. Durant le printemps et l'été 1413, les cabochiens se rendent maîtres de la Bastille, rédigent les ordonnances dites cabochiennes (26 au 27 mai), décident la décapitation du prévôt du roi Pierre des Essarts (1er juillet) et commandent aux Parisiens d'arborer leur emblème (le chaperon blanc). Ces violences provoquent un revirement de la bourgeoisie parisienne, qui rejoint la cause armagnac. La fuite de Jean sans Peur (22 août), l'entrée de Charles d'Orléans, la répression des meneurs cabochiens ne constituent qu'une courte parenthèse. Les Armagnacs ne parviennent ou ne savent pas conserver Paris. Les Bourguignons multiplient les complots. Dans la nuit du 28 mai 1418, les portes de Saint-Germain-des-Prés sont ouvertes à Villiers de l'Isle-Adam, qui massacre plusieurs centaines de partisans du futur Charles VII. L'assassinat de Jean sans Peur (10 septembre 1419) par les Armagnacs sur le pont de Montereau renforce même l'adhésion des Parisiens au nouveau duc de Bourgogne

(Philippe le Bon). Ce dernier contraint le dauphin à signer le traité de Troyes (21 mai 1420) qui fait du roi d'Angleterre, Henri V, l'héritier de la couronne de France. Paris est désormais entre des mains anglaises. Dès le 1er décembre 1420, et pendant seize années, la ville est occupée par les troupes d'Henri V, puis du duc de Bedford (régent à partir de 1422). Un peu moins de 200 soldats sont présents (principalement à la Bastille, au Louvre, à Vincennes) et obtiennent la soumission de l'université et de la bourgeoisie, qui privilégient la défense des intérêts parisiens. Le sacre de Charles VII à Reims (17 juillet 1429), la paix d'Arras (21 septembre 1435) puis la mort de Bedford affaiblissent considérablement les positions des Anglo-Bourguignons. Les gestes du jeune roi en direction de la population parisienne (amnistie, constitution d'un « parti français ») lui valent le concours d'une fraction des habitants regroupés autour de Michel de Laillier. La ville est reprise par les troupes royales le 13 avril 1436. « En avril 1436, Paris se libéra. Une émeute éclata le 13, à l'instigation du Bourguignon Jean de Villiers, seigneur de l'Isle-Adam, celui-là même qui avait joué un rôle important dans la reprise de Paris aux Armagnacs, en 1418, et dans la défense de la capitale contre les Français, en 1429, ainsi que de Michel de Laillier, conseiller à la Chambre des comptes. Son but était d'attirer les Anglais vers la porte Saint-Denis. Richemont en profita pour forcer la porte Saint-Jacques. L'accueil de la population fut chaleureux. La garnison anglaise et les "Français reniés" les plus compromis, réfugiés à la Bastille, purent se retirer, sous les huées de la foule. C'était l'effondrement de l'œuvre de Henri V et de Bedford. La reprise de Paris refaisait l'unité du Royaume. Les cours souveraines s'y réunifièrent. Mais le roi et son conseil restèrent en Touraine. Charles VII ne pardonnait pas aux Parisiens les épreuves qu'il avait connues en 1418. » Le 12 novembre 1437, Charles VII, en entrant dans Paris, mérite bien son surnom : le Victorieux. Il faut cependant attendre 1453 pour que prenne véritablement fin cette guerre dite de Cent Ans.

Quelle est la situation de Paris en ce milieu du XVe siècle ? Alfred Fierro écrit, très justement : « Paris est revenue au roi de France, mais la ville est-elle redevenue la capitale de la France ? » La méfiance, la défiance, tels sont les sentiments royaux devant le rôle et la place de Paris. Très concrètement, les centres du pouvoir royal sous Charles VII, puis Louis XI, se déplacent. En 1461, après son sacre à Reims, le roi installe son gouvernement en Touraine. Ville crainte, Paris est aussi une cité épuisée. Pendant plus d'un siècle et demi, elle vit au rythme de la guerre, des assassinats politiques, des revirements d'alliances. Paris subit aussi la Peste noire (1348-1349). Ce fléau (peste bubonique venue d'Asie centrale) se conjugue à la guerre sur tout le Royaume entre 1347 et 1349. Touchée aussi par des hivers terribles (les loups sont dans les faubourgs) et des périodes de famine (1420-1440), la ville perd près de 100 000 habitants, et de nombreux quartiers sont abandonnés entre la fin du XIVe siècle et le milieu du XVe.

Chapitre III

LA CITÉ MODERNE (XVIᵉ-XVIIIᵉ)

I. – La population parisienne

La capitale s'étend désormais à l'intérieur de l'enceinte de Charles V sur une superficie de 439 ha. Cet espace se reconstruit progressivement après des décennies de guerre. Principales caractéristiques de cette croissance urbaine : la construction de nouvelles rues, d'hôtels et la diminution des surfaces non bâties. Le XVIᵉ et le XVIIᵉ siècle voient le développement des faubourgs. Ces derniers (faubourgs Saint-Honoré, Saint-Martin, Montmartre…) constituent un élément de désordre pour la ville close. Les oppositions entre bourgeois de la ville et habitants des faubourgs sont de plus en plus aiguës. À cette rivalité s'ajoute le thème de l'insécurité. L'enceinte perd de son efficacité quand les constructions extérieures sont autant de points de force, de hauteurs et donc d'appuis pour les ennemis éventuels (Anglais, Espagnols) ou les sièges.

La ville est découpée en secteurs distinguant les quartiers de ville et les quartiers de police. Les quartiers de police correspondent au découpage opéré par le Châtelet (siège de la prévôté de la ville) en vue d'assurer la sécurité de la capitale. Au XVIᵉ et au XVIIᵉ siècle, il existe parallèlement 16 quartiers dont les superficies varient considérablement. Le découpage en 20 quartiers n'est réalisé qu'en 1702, sous Louis XIV.

Le quartier est la cellule de base pour de nombreuses charges et activités de la vie parisienne (taxes, défense de la ville, nettoyage des rues…). À la tête de cet ensemble administratif se trouve le quartenier. Si, longtemps, il a donné au quartier son nom, l'ordonnance de 1588 modifie cette habitude et impose le plus souvent le nom de la plus importante église (voir tableau 1 ci-dessous).

Tableau 1. – **Les 16 quartiers**

1. Notre-Dame	9. Saint-Martin
2. Saint-Germain-l'Auxerrois	10. De la Grève
3. Saints-Innocents	11. Cimetière Saint-Jean
4. Saint-Honoré	12. Du Temple
5. Saint-Eustache	13. Saint-Gervais
6. Saint-Jacques-de-l'Hôpital	14. Saint-Antoine
7. Saint-Jacques-de-la-Boucherie	15. Sainte-Geneviève
8. Saint-Sépulcre	16. Saint-Séverin

Le dénombrement de la population au XVI\ :sup:`e` siècle est un problème pour tout le Royaume. Les indications des ambassadeurs vénitiens sont le plus fréquemment reprises par les démographes. L'un des intérêts de ces sources est sans conteste de venir combler un vide dû aux destructions de l'Hôtel de Ville en 1871. À partir de ces données, il est possible d'estimer la population au début du XVI\ :sup:`e` siècle à 250 000 Parisiens. À la fin du siècle, la ville compterait 300 000 habitants. Les épidémies de peste (1580), le siège des guerres de Religion expliquent cette stagnation. Inversement, le XVII\ :sup:`e` siècle connaît une phase de progression : Paris rassemble près de 450 000 personnes.

Au XVI\ :sup:`e` siècle, la capitale s'affirme comme la chose royale. Le prévôt n'est plus qu'un garde de la prévôté. Le roi s'inquiète de leur ascendant et limite leurs pouvoirs (Jean de La Barre sous François I\ :sup:`er`).

Le gouverneur pour Paris et l'Île-de-France nommé par le roi a en charge le domaine militaire et la responsabilité

34

de l'ordre public. Il est à la tête de la noblesse provinciale et premier magistrat de la capitale. Cette position est occupée par des familles de la haute noblesse (Bourbons, Montmorency, Rochefoucault). Quant à l'évêque, il apparaît de plus en plus comme un adjuvant du pouvoir royal.

La Maison aux Piliers accueille, depuis 1357, le Bureau de la Ville (anciennement hanse des marchands de l'eau). Le pouvoir municipal est défini par l'ordonnance de 1415. Le Bureau, qui est responsable de l'approvisionnement et des rentes, placements de la bourgeoise parisienne, est en fait l'union du Grand et du Petit Bureau. Le Petit Bureau est le noyau de la gestion avec le prévôt des marchands, le procureur du roi et de la ville et quatre échevins. Le Grand se structure autour de ce premier ensemble auquel s'ajoutent 24 conseillers désignés par un corps électoral composé de bourgeois. La première pierre de l'Hôtel de Ville, place de Grève, est posée le 15 juillet 1533. Les travaux débutent sous l'autorité du célèbre architecte italien Dominique de Cortone surnommé le Boccador et durent jusqu'en 1628. Une table de marbre est apposée pour rappeler cette fondation :

« Le corps de la Ville, le peuple et les nobles de la ville de Paris, ayant bien mérité de lui, François Ier, roi de France, très puissant, leur a commandé et confié la construction de cet édifice destiné aux assemblées et au gouvernement des affaires publiques, l'an de grâce 1533, le 15 juillet. Gravé en 1533, le 13 septembre. Pierre Viole, prévôt des marchands, Claude Daniel, Jean Barthélemy, Martin de Bragelongne, Jean Courtin, échevin ; Dominique de Courtonne, architecte. »

« À partir de la pose de la première pierre de l'édifice, la construction traversa un certain nombre de vicissitudes, d'arrêts et de reprises, suivant les circonstances du moment, selon la paix, selon la guerre, selon l'argent plus ou moins abondant. On trouve la trace de ces fluctuations dans les documents d'archives et particulièrement dans les délibérations du Bureau de la Ville. Ce sont, si l'on peut dire, les différentes étapes de l'édification ; elles suivront un cours à peu près normal, de 1533, date du point de départ, à 1628, époque de l'achèvement. »

Les guerres de Religion. – Paris est durablement touchée par les guerres de Religion. Les dogmes de Luther et de Calvin sont réfutés par la Sorbonne. Les affrontements religieux commencent avec la mort de Jean Vallière, brûlé le 8 août 1523. L'Église réformée reçoit l'appui de Marguerite d'Angoulême, reine de Navarre après son mariage avec Henri IV. Face à l'influence de Nicolas Cop, Jean Calvin ou Gérard Roussel, après les placards affichés sur la porte de la chambre du roi à Amboise, François Ier organise une âpre répression. Le roi quitte son habit de souverain tolérant et engage une lutte implacable. Paris connaît les persécutions, les processions antiluthériennes et les bûchers contre les hérétiques. Henri II accentue cette guerre. Il est un adversaire inflexible du protestantisme parisien. Le 8 octobre 1547, la « Chambre ardente » se met en place pour juger et condamner à mort les hérésies. En 1551, l'édit de Chateaubriand interdit l'impression de tout ouvrage religieux sans l'aval des théologiens de la Sorbonne. L'édit de Compiègne (24 juillet 1557) punit les séjours à Genève et la possession de livres sacrilèges. La persistance d'une forte communauté protestante (près de 20 000 Parisiens) et le maintien de leurs assemblées au temple de Poppincourt, à la maison du Patriarche ou au Pré-aux-Clercs suscitent la colère du parti catholique (les Guise). Le massacre de la Saint-Barthélemy déclenche ce qu'il est convenu d'appeler la quatrième guerre de Religion (1572-1573). Dès l'aube du 24 août 1572, Paris subit six journées d'horreur ; 5 000 à 6 000 personnes (protestants et catholiques) sont victimes de cette tuerie qui s'étend au reste du Royaume. La capitale va encore souffrir durant vingt années sur cette braise. La tentative de conciliation d'Henri III avec le roi de Navarre entraîne la création de la Ligue de défense de la sainte Église catholique. Paris devient, à partir de mai 1588, la forteresse d'Henri de Guise, des Jésuites et des Franciscains. Son assassinat, puis celui d'Henri III

(1er août 1589) placent la ville dans une opposition directe avec le futur Henri IV. Cinq années de siège assoient Paris dans son rôle de citadelle catholique face aux huguenots. La ville supporte des mois de sacrifices pour tenir. Les Parisiens sont affamés, obligés de manger chiens, chats, rats… mais ne cèdent pas. Le chiffre de 30 000 morts est le plus fréquemment retenu. Paris doit être contournée politiquement par la conversion royale au catholicisme. La formule est célèbre : « Paris vaut bien une messe. » Le 22 mars 1594, Henri IV entre dans une ville épuisée.

« L'état de cette ville était déplorable, peu de maisons entières, la plupart inhabitées, les campagnes désertes et en friche. Cependant Paris ne tarda pas à renaître. »

II. – La renaissance urbaine

Après le temps de la disgrâce (le roi s'était installé sur les bords de la Loire), Paris retrouve avec François Ier une place centrale (1528). Il est l'un des artisans de ce renouveau urbain du début du XVIe siècle.

« Dans un siècle encore jeune qui croit au progrès et aux bienfaits de l'expansion, ainsi qu'à la maîtrise de l'homme d'État sur les phénomènes socio-économiques, François Ier se réjouit de l'explosion urbaine de Paris et il en est fier. Bien plus, il participe lui-même activement à alimenter le mouvement en donnant à lotir en 1543 tous les grands domaines inutiles qu'il possède encore en ville, suivant en ceci un exemple déjà donné par Charles V, contraire au dogme de l'inaliénabilité du domaine royal, ainsi qu'en faisant ouvrir la porte de Buci de l'enceinte sur le bourg Saint-Germain, décision qui va donner un coup de fouet à la construction déjà très active autour de la vieille abbaye. »

Avec François Ier, la ville traverse une période d'embellissement. Les premiers plans précis de la capitale sont imprimés en cette première moitié du XVIe siècle.

L'influence royale se traduit par tout le courant humaniste, l'ascendant de l'art italien, la place du gothique.

Le roi a engagé des dizaines de projets architecturaux dont l'achèvement intervient à la fin du XVIe, voire au milieu du XVIIe siècle. À la construction de l'Hôtel de Ville, déjà évoquée, il faut ajouter la réalisation de l'aile occidentale du Louvre. Pierre Lescot signe là un ouvrage inspiré du nouveau style de la Renaissance. Sur le Clos des Tuileries, Catherine de Médicis décide (1564) l'édification d'un palais. Philibert de l'Orme sera le premier grand ordonnateur du pavillon central. Jean Bullant lui succède. Mais la régente ne résidera jamais dans le palais. En 1570, elle préfère une position plus sûre : l'hôtel de Soissons (aujourd'hui la Bourse du Commerce). Cependant, les Tuileries sont une nouvelle étape, dans l'agrandissement de la ville hors de son enceinte.

Le roi décide de bâtir ou de restaurer un nombre impressionnant d'églises. Le gothique – le « gothique flamboyant » – marque la plupart de ces réalisations, qu'il s'agisse de Saint-Merry, Saint-Eustache ou Saint-Victor.

Sur la rive gauche, deux quartiers (Sainte-Geneviève [Quartier latin] et Saint-Séverin) hébergent toujours l'essentiel de la vie universitaire et intellectuelle. La population est majoritairement composée d'ecclésiastiques, de maîtres et d'étudiants. Les collèges, dont nous évoquions les aspects misérables du XIIe-XIIIe siècle, se transforment en authentiques lieux d'enseignement et d'humanisme (latin, grec, hébreu), qui accueillent dorénavant aussi des étudiants fortunés. Les fils de grandes familles (nobles ou bourgeoises) fréquentent ces établissements. En 1556, le collège Sainte-Barbe est fondé. En 1530, François Ier fait ouvrir le Collège des lecteurs royaux. Dans cette confrontation entre collèges, la compagnie de Jésus conquiert à partir du milieu du XVIe siècle une position très influente. La révolution de l'écrit (imprimeries, librairies) a trouvé son espace. Rue Saint-Jacques, la boutique « Soleil d'Or » est le haut lieu de l'impression des textes sacrés et de droit. Les métiers de l'imprimerie, de la reliure, de la dorure sont présents le long de la rue Saint-Jacques ou rue Montorgueil.

Dans ces siècles, le problème central demeure lié à la croissance de la ville. La question de l'extension des faubourgs, de l'augmentation de la population, ne peut être dissociée de la crainte royale de voir la ville grossir d'une population incontrôlable et de sa volonté d'opérer plus globalement un équilibre entre Paris et la province.

Commencée sous François Ier, la nouvelle enceinte est achevée avec Louis XIII. Ce rempart bastionné enserre exclusivement la rive droite de la porte de la Conférence à la porte Saint-Denis. Il intègre le faubourg Saint-Honoré et le quartier de la rue Richelieu.

« La ville de Paris, située au centre d'une belle plaine sans montagne ni colline dans son voisinage, jouit d'un air parfait. La ville sans les faubourgs compte en ligne droite 3 820 pas de long (mesure de Rome) et 3 650 de large ; les faubourgs ont chacun à peu près 1 000 pas. Le faubourg Saint-Jacques, par où l'on entre dans la ville, dépasse les autres de 1 740 pas ; de même que le faubourg Saint-Marcel ; le faubourg Saint-Germain, le plus grand de tous, est comme une ville ; avant les dernières guerres, la population en était, dit-on, de 18 000 âmes. La ville a 14 portes, dont 5 tout en maçonnerie » (extrait de la description de Paris de Francisco Grégory d'Ierni en 1599).

Le règne d'Henri IV est une période d'importantes modifications du paysage de la capitale (hôpitaux, fontaines, ponts, places, rues). Avec Maximilien de Sully et François Miron (prévôt des marchands de 1604-1605), le roi impulse et concrétise de nombreux projets. Ces opérations architecturales ont fait « respirer » Paris en ouvrant des espaces, en facilitant la distribution de l'eau ou en améliorant la circulation. Exemple emblématique de ces conceptions royales : le Pont-Neuf, dont les travaux commencés en 1578 sous Henri III s'achèvent en juillet 1606. C'est là une œuvre des plus originales due à l'architecte Baptiste Androuet Du Cerceau. Il établit le premier lien direct (270 m) entre les deux rives du fleuve. Il présente aussi la particularité d'être un pont sans habitation avec de larges trottoirs rehaussés. Il devient un axe de circulation de première importance, mais aussi un lieu de promenades. Après la mort d'Henri IV, Jean de Bologne réalise une statue équestre du roi. Le Pont-Neuf est resté ce trait d'union au cœur de la ville (« Le Pont-Neuf est dans la ville ce que le cœur est dans le corps humain », Louis-Sébastien Mercier). En amont, la réunion de l'île Notre-Dame et de l'île aux Vaches (1614) permet l'édification du pont Marie (nom du constructeur).

Autre trait remarquable de l'histoire monumentale de Paris sous Henri IV : les places. Entre ce nouveau pont et le Palais, le roi décide (1607) la construction de la rue et de la place Dauphine. Le souverain célèbre ainsi, six ans après sa naissance, le dauphin, futur Louis XIII. La place a la forme d'un triangle isocèle dirigé vers le Pont-Neuf. Trois noms sont attachés à cette réalisation prestigieuse : Jacques Androuet, Claude Chastillon et Louis Métézeau.

Sur la rive droite, la place Royale, quadrilatère de 144 m de côté, est construite sur les terrains qui abritaient l'ancien hôtel des Tournelles (demeure de Charles VII et Louis XI). Elle naît de la volonté formellement exprimée par le roi Henri IV dans un édit de 1605.

« L'édit de juillet 1605 expose le cahier des charges que les architectes et les futurs propriétaires devront respecter : neuf pavillons sur les quatre côtés d'une place carrée avec façades de briques et chaînages de pierre. Derrière les façades uniformes, chacun organisera son hôtel comme il lui plaira. »

En 1612, deux ans après la mort du roi, la place est totalement achevée. Cette même année, elle accueille les fêtes données en l'honneur du mariage de Louis XIII. En 1639, la statue du roi est dressée au centre de la place.

Quelques mois avant son assassinat, Henri IV a souhaité bâtir sur des terrains maraîchers (entre le Marais et le mur d'enceinte) une troisième place. Cette entreprise est confiée à Claude Chastillon et Jacques Alleaume. En 1610, les travaux s'arrêtent. La place de France restera, hélas, à l'état de plan. À ces projets d'embellissements s'ajoutent la construction de la Samaritaine (située sur le Pont-Neuf, cette pompe permet une meilleure diffusion des eaux du fleuve dans la capitale) et la restauration de plusieurs hôpitaux (Hôtel-Dieu, l'hôpital de la Charité, l'hôpital Sainte-Anne et Saint-Louis).

Sous son règne, Louis XIII prolonge l'action de son père. Sous la direction de Salomon de Brosse, Marie de Médicis entreprend (1615) le palais Médicis, futur palais du Luxembourg, sur le modèle du palais Pitti de Florence, et termine plusieurs monuments parisiens. Richelieu dirige de 1624 à 1636 la construction d'un nouveau palais (Palais-Cardinal, futur Palais-Royal). En 1622, date décisive dans son histoire, Paris devient le siège d'un archevêché.

Le XVIIe siècle voit la formation de nouveaux quartiers. Les constructions impulsées par Marguerite de Valois au Pré-aux-Clercs et la renaissance du Pont-Royal sont à l'origine du développement de l'élégant faubourg Saint-Germain. Les faubourgs Saint-Jacques et Saint-Honoré s'agrandissent. Le quartier du Marais profite de l'attrait de la place Royale. Dans l'île Saint-Louis, de riches financiers s'installent dans la partie orientale : c'est l'essor de nouveaux espaces (création de lotissements) liés de plus en plus à la spéculation.

III. – **La ville sous Louis XIV et Louis XV**

Paris est une construction royale et une cité impressionnante pour le reste du Royaume. Vincent Milliot a étudié ce phénomène au travers de la littérature de colportage.

« Déjà, sous l'Ancien Régime, Paris écrase les autres villes du Royaume de sa masse démographique comme de la somptuosité de son spectacle monumental. Toute la symbolique des pouvoirs inscrite dans l'espace et dans la pierre par la soif de construction monarchique et religieuse peut nourrir les mythes et impressionner les esprits. La ville a une histoire qui se confond avec la Geste des rois de France et les conquêtes du catholicisme. Phare d'un monde urbain restreint au sein d'une France majoritairement rurale, ce "vaste monde de Paris" affirme encore son originalité comme lieu d'une intense circulation des hommes et des choses. »

Le dernier quart du XVIIᵉ siècle et le XVIIIᵉ siècle scellent cette place exceptionnelle dans l'histoire du Royaume.

Paris est la ville de la Fronde (des parlementaires et des nobles), le foyer d'une période de troubles (1648-1652). Profitant de la minorité du roi (né en 1638), du mécontentement devant l'augmentation des taxes (« édit du Toisé »), le parlement de Paris affronte le cardinal Mazarin. Après la journée des barricades (26 août 1648), qui a mobilisé des centaines de Parisiens, la cour se retire à Saint-Germain-en-Laye et décide de faire assiéger la capitale par l'armée de Condé.

« Des barricades, on n'en avait pas vues depuis le mois de mai 1588, mais le souvenir s'en était transmis, très vif. Le 26 août 1648, la Ligue hantait les mémoires, elle armait parfois bras et poitrines de pièces d'armement qui avaient dormi soixante ans dans les greniers. »

La paix de Rueil (mars 1649) puis le retour de la cour à Paris (18 août) ne font que précéder de quelques semaines la Fronde des Princes. L'alliance entre Condé, le prince de Conti, le cardinal de Retz et le duc de Longueville entraîne la ville dans une nouvelle phase de désordres. Le jeune roi est obligé une seconde fois de fuir Paris. Le 2 juillet 1652, le faubourg Saint-Antoine, qui se situe hors de l'enceinte, est le lieu de violents combats entre l'armée de Turenne et de Condé. Mˡˡᵉ de Montpensier (la Grande Mademoiselle), fille de Gaston d'Orléans, offre la victoire à Condé en faisant tirer le canon de la Bastille et ouvrir la porte Saint-Antoine. Deux jours plus tard,

Condé s'oppose à la municipalité de Paris, ouvre le feu sur la foule devant l'Hôtel de Ville. Devant l'hostilité de la bourgeoisie parisienne, le prince de Condé quitte la capitale (13 octobre 1652) pour trouver refuge aux Pays-Bas espagnols. Une fois encore, Paris fête l'entrée d'un roi dans son enceinte. Le 21 octobre, Louis XIV et Anne d'Autriche sont acclamés par les Parisiens. Les grandes fêtes en l'honneur du roi n'effacent pourtant pas les traces profondes des dramatiques événements qu'il a subis. Pour d'évidents motifs de sécurité, Louis XIV préfère le Louvre au Palais-Royal. Il demeure à Paris jusqu'en 1671. Le 10 février 1671, le roi abandonne la capitale pour son palais de Versailles. Dorénavant, le centre du pouvoir royal et la cour sont distants de plusieurs dizaines de kilomètres. Sous le règne de Louis XIV, la ville continue pourtant de s'agrandir et de s'embellir.

« Avec ses 400 000 à 500 000 habitants, Paris reste la capitale, où Colbert espéra longtemps ramener son maître. En 1663, dans une lettre fameuse, il lui reproche de préférer Versailles à Paris où ministres et courtisans ont d'ailleurs gardé leurs résidences principales… Toutes les grandes institutions, cours suprêmes et Parlement, justice et police, académies, établissements scientifiques, manufactures royales y sont restés. Mais c'est de Versailles et des conseils du roi qu'émanent les décisions gouvernementales. En revanche, ce qu'écrivait Colbert dans son *Instruction* à son fils Seignelay reste vrai vingt ans plus tard, malgré l'installation définitive à Versailles : "Paris, estant la capitale du Royaume et le séjour des roys, il est certain, que toutes les affaires du dedans commencent par elle…" »

Pendant les années parisiennes du roi, la ville connaît d'importantes transformations. Colbert, surintendant des bâtiments, rêve de faire de la capitale une nouvelle Rome. Il souhaite ainsi attacher le roi à sa ville et lier le nom de Paris et de ses habitants à la puissance monarchique. Pour mener à bien ses projets, Colbert peut compter sur le lieutenant de police de la ville, Nicolas de La Reynie. Avec ces deux hommes se conjuguent les exigences de grandeur et de propreté. Les grands travaux de cette période entrent bien dans ce double dessein. Les principaux architectes qui donnent leur nom à ces projets sont Louis Le Vau (1612-1666), François d'Orbay (1634-1697), Libéral Bruant (1637-1697) et Jules Hardouin-Mansart (1646-1708).

La Cour carrée du Louvre (aile nord puis sud) est achevée. L'architecte-sculpteur italien Bernin ne parvient pas à imposer ses vues, et Claude Perrault fait édifier la célèbre Colonnade (1670). Les Tuileries s'agrandissent avec le pavillon nord dessiné par Le Vau et le magnifique jardin réalisé par Le Nôtre. L'hôpital des Invalides, construit après l'Hôpital général (La Salpêtrière), a pour mission d'héberger les soldats blessés. Au cœur de la plaine de Grenelle, ce splendide ensemble architectural (avec deux églises) ouvre ses portes en 1674. Deux grandes places sont édifiées en l'honneur du roi. Cet urbanisme courtisan se retrouve dans la place des Victoires (1689) et la place Vendôme (1698) réalisées à l'initiative du maréchal de La Feuillade et de Louvois.

« Toutes ces réalisations ont donc été l'œuvre de courtisans. Tout ce qui s'est fait à Paris, à cette époque, a été axé sur la personne de Louis XIV [à qui] quelques individus s'appliquent à plaire. En somme, la personne royale éclipse les préoccupations d'urbanisme, s'il en fût, et la comparaison de Paris avec la Rome antique procède aussi, directement, de ce souci de flatterie. »

Avec Louis XIV, Paris devient une ville ouverte. Les succès militaires de la France paraissent assurer la sécurité de la capitale. À la fin des années 1660, la France possède la première armée européenne et vient, par la signature du traité d'Aix-la-Chapelle (mai 1668), d'annexer Lille et une partie des Flandres. Trente années après l'achèvement de l'enceinte bastionnée (« enceinte des Fossés-Jaunes »), le roi fait raser les remparts. La décision (ordonnance du 7 juin 1670) est d'importance et révèle un changement complet d'orientation. Le tracé du rempart préfigure les grands boulevards parisiens. La ville a désormais de vastes espaces de circulation plantés d'arbres (« le Nouveau Cours »). En 1672 et 1676, deux arcs de triomphe (porte Saint-Denis et porte Saint-Martin) célèbrent ce geste royal.

« La porte Saint-Denis, dressée dans la rue du même nom, la *Voie royale* du Paris d'alors, qui conduit de la basilique Saint-Denis à l'île de la Cité, est construite aux frais de ville, en 1672. Elle exalte la victoire du roi sur la frontière du Rhin, les 40 places fortifiées conquises en moins de deux mois. Architecture trop pesante et dépourvue de colonnes, l'ensemble est sans grâce ; les bas-reliefs des frères Anguier, illustrant le passage du Rhin côté Paris et la prise de Maëstricht côté opposé, des pyramides couvertes de trophées, ravivent un peu le premier des arcs de triomphe parisiens. La porte Saint-Martin est également l'œuvre de Blondel, mais elle est construite par son élève Pierre Bullet en 1674. Elle commémore la prise de Besançon et les défaites des armées allemande, espagnole et hollandaise. Elle comprend trois baies et des bas-reliefs signés Desjardins, Marsy, Lehongre et Legros. Le roi y figure en Hercule, nu et perruqué. »

La ville gagne encore des espaces sur les faubourgs. Conséquence de cette situation, le nouveau lieutenant général de police, Marc René Le Voyer de Paulmy d'Argenson, applique l'ordonnance royale du 12 décembre 1702 et scinde la ville en 20 quartiers.

Avec la mort du roi (1715), la Régence s'accompagne d'un retour rapide du jeune roi (5 ans) dans la capitale (le 12 septembre 1715). Paris redevient pour quelques années la ville de la cour et des plaisirs. Rien ne serait pourtant si faux que de considérer que la capitale attendit 1715 pour se divertir. Depuis plusieurs années, les spectacles de théâtre se donnaient dans les nombreuses salles de jeu de paume. En 1643, Jean-Baptiste Poquelin s'installe rue Mazarine. La Comédie-Française, créée en 1681, occupe le jeu de paume de l'Étoile (rue des Fossés-Saint-Germain). Les jardins particuliers et publics, les ponts, les cours sont des espaces de distraction et de promenades. Le Jardin royal des plantes médicales (jardin des Plantes), les Tuileries, le Cours-la-Reine, le Pont-Neuf... sont autant de lieux à la mode, qui accueillent des milliers de Parisiens venus s'y montrer, déambuler entre les étals des marchands ou applaudir les attractions des saltimbanques. Dans le dernier quart du XVIIᵉ siècle, la bourgeoisie parisienne goûte aux merveilles du café *Procope* (1686) lancé par l'Italien Francesco Procopio dei Coltelli.

Réjouissance et drame économique : le projet de l'Écossais Law installe de nouveau Paris (et plus particulièrement la rue Quincampoix, siège de la Banque générale) sur le devant de la scène. La capitale vit pendant quatre années (1716-1720) au rythme des projets (banque, monnaie de papier) et de la déroute du riche financier ami du duc d'Orléans.

L'arrière-petit-fils du Roi-Soleil laisse à Paris son empreinte avec l'aménagement entre le Cours-la-Reine et les Tuileries de la statue équestre de Louis XV (future place de la Révolution, puis de la Concorde) inaugurée le 20 juin 1763. Le 30 mai 1770, sur cet espace une grande fête est donnée à l'occasion du mariage du dauphin avec la jeune archiduchesse Marie-Antoinette. Journée de plaisirs avec un feu d'artifice grandiose et de consternation, puisque la liesse s'achève dans une bousculade mortelle. Le règne de Louis XV apporte quelques innovations dans le paysage parisien. L'École militaire (1773), tant souhaitée par Mᵐᵉ de Pompadour, est construite par Ange-Jacques-Gabriel ; l'École de chirurgie, par Jacques Gondoin (1775). L'hôtel des Monnaies (1768), œuvre de Jacques-Denis-Antoine, inaugure le style dit Louis XVI. La construction du Panthéon (ancienne église Sainte-Geneviève) occupe une grande partie de la seconde moitié du XVIIIᵉ siècle. Plus de trente années s'écoulent entre les plans de Soufflot (1757) et l'exécution des travaux à la veille de la Révolution. Parallèlement, la ville profite d'une extension notable en direction de l'ouest avec l'essor du quartier du Roule et la prolongation de la percée forestière des Champs-Élysées du Rond-Point à la Butte (Étoile) puis jusqu'à la Seine. La question des limites de Paris, de la séparation ville-faubourg, est un souci constant du pouvoir royal qui redoute cette croissance anarchique et craint l'augmentation de la population parisienne. Les ordonnances royales ne parviennent pourtant pas à stopper, voire à ralentir, ce mouvement d'expansion à la périphérie.

Dans la ville, tout au long du XVIIIe siècle, le paysage urbain est aussi transfiguré par une succession de touches liées à des ordonnances royales, des initiatives individuelles ou de la prévôté. La physionomie de la rue change. Des plaques (en fer-blanc ou en pierre) indiquent le nom de la voie, et un numéro permet dorénavant d'identifier chaque demeure. Les priorités (hygiène, sécurité, amélioration de la circulation) définies par les lieutenants de police (Argenson, Sartine, Lenoir) se concrétisent. L'éclairage par des réverbères à l'huile se généralise dans les dernières décennies du siècle. Les pompes à vapeur de Gros-Caillou et Chaillot construites par la Compagnie des eaux des banquiers Périer (1777) perfectionnent les circuits de distribution en eau potable et l'alimentation des bains publics. Les inventions de Nicolas Sauvage et de Blaise Pascal facilitent les déplacements à chevaux (fiacres, carrosses, cabriolets) entre les quartiers. Les chaises à porteurs disparaissent et, en 1750, plus de 10 000 carrosses de louage et de remise circulent dans la capitale. La multiplication des pompes à incendie et l'organisation du service des pompiers (« les gardes des pompes du roy ») par Antoine Gabriel de Sartine (1729-1801) garantissent une meilleure sécurité des habitants face aux périls des incendies (le 8 juin 1781, l'Opéra du Palais-Royal avait été la proie des flammes). La salubrité des rues est une des priorités de la prévôté. Par souci d'hygiène, tous les principaux lieux de passage (cours, ponts, trottoirs…) sont arrosés. Le rejet des eaux usées est un problème crucial. La Bièvre, cours d'eau de la rive gauche, joue depuis des siècles le rôle d'égout à ciel ouvert. Prévôt des marchands pendant onze années, Michel Turgot lance plusieurs grands travaux : le creusement d'un canal et d'un vaste réservoir (rue des Filles-du-Calvaire).

IV. – **La révolution dans la cité**

Six années après la proclamation de Louis XVI roi de France, en 1780, Paris se referme partiellement avec la construction du mur dit des Fermiers généraux. À terme, cette nouvelle enceinte vise à établir un contrôle sur la circulation des denrées et à faire payer un droit de péage sur les marchandises venant des faubourgs vers la ville. Ce projet ne peut être dissocié de la question de la croissance et de la définition, déjà évoquée, des limites de la capitale. Faire payer l'octroi, c'est à la fois enrichir l'État, la ville et poser physiquement une démarcation entre Paris et les faubourgs. La décision du ministre Anne-Robert Turgot (1727-1781), fils de l'ancien prévôt des marchands, est un évident coup d'arrêt à la fraude. Les Fermiers généraux obtiennent donc la construction d'une enceinte à péage, qui accentue la défiance et le mécontentement des Parisiens (« le mur murant Paris rend Paris murmurant »). À l'extérieur, aucune maison ne peut être construite à moins de 100 m de ce nouveau tracé, limite administrative de la capitale jusqu'en 1860. Le mur court sur 25 km avec une hauteur de 4 à 5 m et 56 portes avec des bureaux de recette (« propylées de Paris ») dessinés par l'architecte Claude-Nicolas Ledoux (1736-1806). Le Parisien d'aujourd'hui peut retrouver quelques traces de cet ouvrage à Denfert-Rochereau et à Nation.

« Voulez-vous juger Paris physiquement ? Montez sur les tours Notre-Dame. La ville est ronde comme une citrouille ; le plâtre qui forme les deux tiers matériels de la ville, et qui est tout à la fois blanc et noir, annonce qu'elle est bâtie de craie, et qu'elle repose sur la craie. La fumée éternelle qui s'élève de ces cheminées innombrables dérobe à l'œil le sommet pointu des clochers ; on voit comme un nuage qui se forme au-dessus de tant de maisons, et la transpiration de cette ville est pour ainsi dire sensible » (Louis-Sébastien Mercier, *Tableau de Paris*, 1780).

Dans cette capitale de 550 000 et 600 000 habitants, soit 3,5 % de la population du pays (25 millions de Français), la plus peuplée d'Europe, se propage la Révolution. Il n'est pas dans notre intention d'étudier la Révolution française à Paris, mais de souligner les grands moments d'une histoire qui a pour cadre Paris.

C'est à Versailles, contre l'avis des cahiers de doléances des Parisiens, que Louis XVI réunit les États généraux. Les Parisiens entrent en scène lors des journées des 12, 13 et 14 juillet. Le renvoi de Necker, la peur des régiments étrangers et la prise de la Bastille font de Paris un acteur, un modèle révolutionnaire. Le 13, l'Hôtel de Ville est occupé. La Fayette prend la tête de la Garde nationale qui doit défendre la ville. Temps fort de ce mouvement, la prise de la Bastille est un acte symbolique dont l'écho résonne dans les campagnes françaises et à Versailles. Jacques de Flesselles, prévôt des marchands, et le gouverneur de Launay sont assassinés. Le 17 juillet, le roi, qui vient de rappeler Necker, se rend à l'Hôtel de Ville. Depuis le 15 juillet, Jean Sylvain Bailly est maire de Paris. Le célèbre astronome est le représentant de la nouvelle organisation de la ville. La capitale a déjà mis à terre les habits institutionnels de l'Ancien Régime. Le 17, Bailly accueille le souverain à Chaillot (« Sire, j'apporte à Votre Majesté les clefs de sa bonne ville de Paris. Ce sont les mêmes qui ont été présentées à Henri IV ; il avait reconquis son peuple, ici le peuple a reconquis son roi »). Journée de réconciliation ? Louis XVI porte la cocarde tricolore (bleu et rouge : couleurs de Paris, et le blanc royal) et la municipalité conçoit le projet d'une statue du roi sur la place de la Bastille. Journée de dupes ? Le 22 juillet, le lieutenant de police, représentant du roi, Bertier de Sauvigny, est arrêté et dépecé.

Le 4 octobre 1789, les Parisiens sortent de la ville. La protection royale, cet espace-temps de quelques heures entre Versailles et la capitale, s'efface en une journée. La révolte de la capitale se retrouve sous les fenêtres de Versailles. Le boulanger, la boulangère et le petit mitron sont ramenés aux Tuileries. Paris s'est imposée : la famille royale, le gouvernement et l'Assemblée sont désormais dans la capitale. Cette position, cette fonction politique de Paris se retrouvent dans le décret du 21 mai 1790 définissant le nouveau statut de la ville. La ville s'émancipe du pouvoir royal. Elle est divisée en 48 sections. La municipalité, définie par l'article 5 (voir ci-dessous), est élue par un collège restreint composé des seuls citoyens actifs. Cinq commissions ont pour mission de gérer les dossiers de la police, des finances, des subsistances, des établissements publics et des travaux publics.

« Article 5 : La municipalité sera composée d'un maire, de seize administrateurs, de trente-deux membres du conseil, de quatre-vingt-seize notables, d'un procureur de la commune, de deux substituts qui seront ses adjoints et exerceront ses fonctions à son défaut. »

Le 2 août 1790, Bailly devient effectivement, après son élection, maire de Paris. Il assure un mandat de deux ans jusqu'au 11 novembre 1791. Lui succèdent : Jérôme Pétion, Philibert Borie, René Boucher, Nicolas Chambon et Jean-Nicolas Pache. Ce dernier, girondin rallié aux montagnards, est surtout connu par la devise *Liberté, Égalité, Fraternité*, qu'il fait graver sur les édifices publics.

L'opposition royale à la Constitution civile du clergé, la tentative de fuite ratée du roi alourdissent le climat parisien. Le souverain est sous surveillance. Le 20 juin 1792, plus de 20 000 patriotes parisiens venus des faubourgs Saint-Antoine et Saint-Marceau envahissent les Tuileries. Ils ne repartiront qu'après avoir obligé le roi à se coiffer d'un bonnet républicain. Dans ce contexte, la Commune insurrectionnelle (288 membres) du 10 août 1792 est une réponse aux menaces du duc de Brunswick contre les Parisiens. La Terreur s'installe dans la capitale : suspects, emprisonnements, jugements rapides, guillotine. Le 21 janvier 1793, le roi est conduit à l'échafaud. Les lieux de culte sont fermés, la censure s'exerce sur la presse et le théâtre. Le Comité de salut public impose ses choix politiques à la Commune. La minorité révolutionnaire, qui dirige la capitale et la France, met en scène sur le Champ-de-Mars la grande fête de l'Être suprême en l'honneur de Robespierre. Devant l'École militaire se dresse le temple de l'Immortalité. Ce qui apparaît en ce 20 prairial de l'an II (8 juin 1794) comme une manifestation de glorification est en fait l'exorde d'un dernier acte. Le 26 juillet (8 thermidor), la Convention décrète l'arrestation de Robespierre, Saint-Just, Couthon et Lebas. Les dernières heures du mouvement se déroulent entre les Tuileries, le quai des Orfèvres (administration de la police), l'Hôtel de Ville. La guillotine a été retirée de la place du Trône-Renversé pour être dressée place de la Révolution. Le couperet qui fait tomber la tête de Robespierre annonce la réaction thermidorienne et la République bourgeoise (1794-1799). Les Parisiens demeurent encore les premiers acteurs de la vie politique de la fin de la Convention ou du Directoire. Symboliquement, la place de la Révolution devient place de la Concorde (14 juillet 1795), mais la ville connaît toujours une situation de grande détresse face à la pénurie et de très vives tensions entre républicains et royalistes. Le 1er avril et le 20 mai 1795, la Convention riposte à une insurrection des habitants des quartiers populaires et des faubourgs (les « ventres creux »). Émeutes de la faim, que l'armée de Pichegru et Legendre réprime sévèrement. Le faubourg Saint-Antoine, principal foyer de ces révoltes, est cerné et désarmé. Le 13 vendémiaire (5 octobre 1795), ce sont les royalistes qui tentent d'investir la Convention. D'autres revendications et surtout d'autres quartiers situés sur la rive droite (rue Saint-Honoré, rue Richelieu) sont à l'origine de ce soulèvement. Les monarchistes sont défaits par le jeune Bonaparte. L'ordre règne désormais dans la capitale. Le décret du 11 octobre 1795 (antithèse de celui du projet de 1790) place la ville sous la surveillance du « Directoire exécutif ». Paris est divisée en douze municipalités de quatre sections avec un bureau central de police et de subsistance. La crainte de la première ville française nourrit directement cette logique du démembrement. Principe simple qui inspire les différents pouvoirs (empire, monarchie ou république) : l'unité municipale est un danger. Le Consulat puis l'Empire gardent ce cap. N'oublions pas que c'est à Saint-Cloud, loin d'éventuelles émeutes parisiennes, que le coup d'État du 18 brumaire s'organise.

Chapitre IV

LA GRANDE VILLE DU XIXᵉ SIÈCLE

I. – La ville impériale

Paris sous la Révolution n'a pas connu de grands changements architecturaux. C'est paradoxalement davantage le vide né de l'émigration qui retient l'attention. De nombreux hôtels privés et bâtiments religieux sont abandonnés. La Commission des artistes (Verniquet, Wailly, Pasquier, Gombault…), chargée par la Convention en 1793 de faire des propositions en vue de la réalisation de nouvelles voies, ne tire pas parti de ce contexte singulier. Il lui était pourtant permis d'envisager expropriations et destructions en l'absence des propriétaires. Rien n'est mis en chantier, et il ne reste des travaux de cette commission dissoute en 1797 qu'un projet de plan, dit plan des artistes.

Sous le Premier Empire, la ville connaît une évidente renaissance. « Renaissance » rime ici avec « surveillance ». Napoléon prive la capitale d'une administration autonome. Certes, la ville compte 12 maires d'arrondissement, mais aucun maire de Paris siégeant à l'Hôtel de Ville. Le conseil municipal est avant tout un organe d'enregistrement des décisions ministérielles. Dorénavant, deux préfets (de la Seine et de la police) ont en charge les affaires de la commune. Le préfet de la Seine (Frochot puis Chabrol de Volvic) devient le personnage central de l'organisation, de la gestion parisienne : homme lige du pouvoir.

En 1804, la capitale est en deçà des 580 000 habitants, c'est dire les pertes subies pendant les années de révolution. Inversement, l'Empire est une phase de croissance démographique (700 000 hab. en 1814).

Globalement, cette décennie impériale correspond à l'achèvement de plusieurs travaux initiés antérieurement et aux lancements d'importants ouvrages terminés après 1815.

« Le temps ne lui [Napoléon] permettra pas d'achever ce qu'il a entrepris, mais il laissera d'admirables ébauches. En tout cas, tant que durera son règne, il mettra tous ses soins à embellir, à reconstruire, à assainir, à fortifier et à égayer cette ville unique qu'il prend dans la décrépitude et qu'il laisse dans l'épanouissement. »

Ainsi, l'axe constitué par la rue de Rivoli (jusqu'à la place des Pyramides), projet hérité du Consulat (1801), voit le jour grâce aux architectes de l'empereur Percier et Fontaine. Et le grand dessein impérial, qui s'exprime dans l'édification, à la barrière de l'Étoile de Neuilly, d'un arc de triomphe à la gloire des armées impériales, ne trouve sa concrétisation que le... 29 juillet 1836.

L'histoire architecturale de la capitale doit bien souvent être rattachée aux épisodes de l'histoire napoléonienne. Pour le sacre de 1804, le parvis de Notre-Dame est agrandi. La démolition de plusieurs églises et le transfert d'une partie de l'Hôtel-Dieu dessinent un espace de près de 80 m de côté. La colonne de Vendôme (1806-1810) est édifiée par Gondoin et Lepère sur le modèle de la colonne Trajane avec les 1 200 canons pris aux Autrichiens et aux Russes en 1805. Deux victoires donnent leur nom aux ponts d'Austerlitz (1802) et Iéna (1807). Même empreinte guerrière avec l'arc de triomphe de l'Étoile, puis l'arc de triomphe du Carrousel (1806-1808), imitation pour ce dernier des arcs de Septime Sévère et Constantin. Napoléon réside peu à Paris. Jules Berthaut avance le chiffre de 955 jours de présence sur dix ans de règne. Mais, dans ce Paris qui fête chaque nouvelle victoire militaire, les parades de l'Empereur au Carrousel sont autant d'occasions de voir défiler les régiments et d'organiser des retraites aux flambeaux.

La capitale brise une partie de son carcan médiéval. La destruction du Grand Châtelet (1802-1810) est une opération salutaire, qui règle considérablement les problèmes de la circulation entre les deux rives. Les travaux pour le percement de l'avenue de l'Observatoire depuis le Luxembourg débutent en 1807 sous la direction de Jean-François Chalgrin (1739-1811). Le dégagement devant le Panthéon avec la construction de la rue Soufflot est décidé en 1807. Les anciennes terres de l'abbaye de Saint-Victor sont utilisées pour l'installation de la Halle aux vins. Au nord, Alexandre Brongniart (1739-1813) aménage le cimetière du Père-Lachaise (nom du confesseur de Louis XIV) ouvert en 1804. Le cimetière du Montparnasse est terminé en 1824. Brongniard se voit aussi chargé des travaux de la Bourse (1808-1827). Nouvelle étape dans l'embellissement du fleuve : la Seine est bordée de quais sur ses deux rives, et les berges sont pavées.

Le décret du 2 mai 1806 fait de la distribution constante d'eau une priorité (fin des travaux du canal de l'Ourcq (1802-1808), long de 107 km, le chantier du canal Saint-Martin terminé en 1822 et la réalisation de très nombreuses fontaines). Au centre de la nouvelle place du Châtelet, la fontaine du Palmier est probablement la plus illustre parmi ces multiples créations de l'Empire (fontaine de l'Égyptienne de la rue de Sèvres, des Lions sur la place du Château-d'Eau, d'Hygie rue Saint-Dominique...). À partir du 1er mars 1812, l'eau publique est gratuite.

La circulation s'améliore avec la construction par l'ingénieur Dillon du pont des Arts, premier pont en fer entre l'Institut et le Louvre. La numérotation des maisons (pairs et impairs) se généralise. La multiplication des lanternes à huile avec réflecteur et l'utilisation du gaz (1812) apportent un confort évident dans une ville où l'éclairage est encore bien insuffisant. Enfin, la sécurité face aux incendies est renforcée avec la création le 18 septembre 1811, par le préfet Pasquier, d'un bataillon de sapeurs-pompiers.

Les derniers jours du régime replacent la capitale au cœur du conflit européen. Les forces de la coalition sont aux portes de Paris. Dès le 29, sur ordre de l'Empereur, Marie-Louise et le roi de Rome quittent la ville. Le roi Joseph installe son quartier général au Château-Rouge, entre Montmartre et La Chapelle. Le 30 mars, Paris capitule. Napoléon est encore à Fontainebleau, alors que le comte d'Artois, « lieutenant général du Royaume », depuis Paris prépare l'arrivée de son frère. Le 31 mars 1814, dans la ville ouverte de Louis XIV, le roi de Prusse et le tsar de Russie font leur entrée (porte Saint-Denis) quelques semaines avant Louis XVIII. La ville est désormais occupée par les troupes ennemies qui campent sur les Champs-Élysées. L'arrivée du nouveau roi, avec la duchesse d'Angoulême, fille de Louis XVI, est le signe de plusieurs journées de fête dans les jardins des Tuileries. Les Cent-Jours ne sont qu'une courte parenthèse qui ramène l'Empereur aux Tuileries. Le 20 novembre, c'est à Paris qu'est signé le second traité de paix.

II. – Le Paris révolutionnaire et romantique

Après un quart de siècle de conflits, Paris et la France sortent de la guerre. Manifestations du changement de régime, quelques noms de rues et de ponts sont modifiés. La rue Napoléon redevient rue de la Paix, le pont de la Concorde reprend le nom de pont Louis-XVI. La statue d'Henri IV retrouve sa place sur le Pont-Neuf. Quant au drapeau blanc, il flotte sur le haut de la colonne Vendôme.

Le romantisme (Chateaubriand, Nodier), qui se déploie dans ces premières années du siècle, ne s'attaque pas à la Restauration. Il en est tout autrement à la fin des années 1920. Dans cette conjoncture, la ville est à l'image d'un Chateaubriand (« Je me suis rencontré entre deux siècles, comme au confluent de deux fleuves »). La Révolution n'est pas achevée, et Paris n'est pas la capitale de la Restauration. En 1815, les Parisiens sont représentés par des royalistes au sein de la Chambre introuvable. Deux ans plus tard, les libéraux commencent leur reconquête, et les notables (financiers, industriels, journalistes) dominent la vie politique parisienne.

Les romantiques, loyaux alliés du début du règne de Louis XVIII, se montrent au fil des mois des adversaires redoutables. Le romantisme et la révolution se conjuguent et imprègnent lentement la capitale. Après des décennies d'une mission collective (révolutions, guerres…), l'individu s'affirme comme une force pour (et dans) la société. L'élan du mouvement romantique parisien naît de la paix retrouvée. Les idées, les sensibilités romantiques recouvrent de nombreux aspects de l'histoire de Paris (politique, littérature, arts…). En rupture avec le classicisme, le romantisme influence la presse, le roman, le théâtre ou la vie des salons. L'âme romantique – alchimie de bonheur, de désespoir, de révolte – marque les créations littéraires et artistiques parisiennes. En 1830, la bataille d'Hernani (depuis la première, le 28 février) ne préfigure-t-elle point les journées révolutionnaires de Juillet ?

« Le public siffle tous les soirs tous les vers ; c'est un rare vacarme, le parterre hue, les loges éclatent de rire. Les comédiens sont décontenancés et hostiles ; la plupart se moquent de ce qu'ils ont à dire. La presse a été à peu près unanime et continue tous les matins de railler la pièce et l'auteur. »

Contre la Restauration, le Paris des romantiques en appelle à la liberté. La rue, les assemblées résonnent des mots entendus dans les théâtres.

« Peu à peu la Restauration déçoit, et beaucoup, passant d'un extrême à l'autre, vont découvrir une cohérence entre leur révolte esthétique et l'idéal de liberté. C'est ainsi que V. Hugo associe dans sa préface d'*Hernani* la "liberté dans l'art" et la "liberté dans la société", sa "bataille", le 25 février 1830, offrant comme un prélude littéraire aux barricades de Juillet. »

Le Paris romantique habille la révolution qui couve (conspirations, insurrections). Le mouvement hostile à la Restauration ne cesse de croître. En 1820, à la sortie de l'Opéra, le duc de Berry est assassiné par Louvel. En 1821, la Charbonnerie s'organise dans la capitale (3 000 à 4 000 membres). Au sein des libéraux, la place des étudiants grandit. L'école de droit se mobilise à plusieurs reprises. Le 3 juillet 1819, les étudiants soutiennent le professeur Bavoux, sanctionné pour ses idées libérales. Le 29 avril 1827, c'est une partie de la Garde nationale qui manifeste aux cris de « Vive la liberté de la presse ! » devant Charles X. Face à la montée des oppositions, Villèle décide de dissoudre (6 novembre 1827). Paris, malgré le suffrage censitaire, accorde plus de 80 % des suffrages aux libéraux. La parenthèse politique du ministère du comte de Martignac (monarchiste modéré qui offre à Chateaubriand l'ambassade de Rome) ne calme pas la capitale. Et, lorsque le roi nomme le prince de Polignac, Paris bruisse d'intrigues. La ville est bien en cette année 1830 le volcan annoncé par Salvandy. Les ordonnances de Juillet déclenchent l'éruption parisienne. Trois journées – les Trois Glorieuses des 27, 28 et 29 juillet 1830 – jettent le peuple de Paris à l'assaut de la monarchie et d'un monarque, qui se réfugie à Saint-Cloud alors que les affiches de la bourgeoisie libérale (Laffite, Thiers), favorables au duc d'Orléans, recouvrent les murs de la capitale. En ces heures, où se joue la bataille pour le pouvoir ? Une fois encore, c'est à l'Hôtel de Ville de Paris que s'écrit l'histoire de la France. Le 31 juillet, le futur roi, de retour du Raincy, se rend place de Grève, là où s'affrontent républicains et libéraux. Philippe Vigier dit ici l'essentiel :

« C'est pour vaincre résistance et réticences de l'"Hôtel de Ville" que Louis-Philippe et les quelque 90 députés qui, maintenant, appuient sa candidature, décident de gagner ce haut lieu où en 1830, comme en 1789 et, plus tard, en février 1848 et septembre 1870, réside, en dernier ressort, le Pouvoir en notre France "jacobine" du siècle. »

Le tableau du dernier acte de ces journées révolutionnaires parisiennes est célèbre. Sur le balcon de l'Hôtel de Ville, Lafayette et le duc d'Orléans s'étreignent dans les plis du drapeau tricolore. La bourgeoisie parisienne vient de remporter la bataille. Le rideau tombe provisoirement. Le 29 août 1830, la capitale fête ce (son) roi-citoyen sur le Champ-de-Mars.

« Il n'a fallu que trois jours à la tempête romantique pour rompre les digues de l'ordre établi ; le descendant de saint Louis, d'Henri IV, de Louis XIV, le dernier monarque absolu n'est plus qu'un fugitif. Quant à celui qui l'a remplacé, il s'apercevra très vite que ce n'est pas une tâche aisée que de demeurer dans le cœur des Parisiens. »

L'esprit révolutionnaire de la capitale ne s'apaise pas sous la monarchie de Juillet. Le 14 mars 1831, la messe à Saint-Germain-l'Auxerrois pour le duc de Berry se transforme en combats de rues, et les affrontements se poursuivent à l'intérieur de l'archevêché dévasté. Le 5 juin 1832, les funérailles du général Lamarque (1770-1832), mort du choléra, sont le point de départ de deux journées révolutionnaires. Les républicains sont présents tout au long du parcours pour honorer la mémoire de ce leader de l'opposition libérale. À la hauteur du pont d'Austerlitz, plusieurs étudiants tentent d'entraîner le char funèbre jusqu'au Panthéon. Le choc entre la troupe et les républicains (150 morts) se prolonge toute la nuit devant l'église Saint-Merry. En 1835, l'attentat raté contre la personne du roi (boulevard du Temple) par Fieschi fait 18 morts. Louis-Philippe est l'objet de huit attentats. Le journal *Le Charivari* titre, le 26 juillet 1835 : « Le roi citoyen est venu à Paris avec sa superbe famille sans être aucunement assassiné. »

Le 12 mai 1839, Armand Barbès (1809-1870) et Louis Blanqui (1805-1881) envahissent les postes de police de l'Hôtel de Ville. L'assaut fait cinq morts.

La capitale voit le développement des mouvements sociaux, des sociétés révolutionnaires (Les Amis de la Vérité, Les Réclamants de Juillet) et de la presse d'opposition (*Le National*, *La Réforme*). C'est une période de fortes protestations ouvrières (cinq mois de grève chez les charpentiers en 1845). Dans cette agitation parisienne se perçoit le souffle des créations romantiques : Hugo *(Ruy Blas*, *Notre-Dame de Paris)*, Alexandre Dumas *(Antony)*, Alfred de Vigny *(Chatterton)*, Balzac, Mérimée *(Colomba)* ou Rude *(Le Départ des volontaires)*. L'action, le sacrifice, la révolte contre les égoïsmes participent de cet esprit de 1848.

Alors que le régime choisit la Résistance avec le gouvernement de François Guizot contre le Mouvement, Paris lance la campagne des banquets républicains. Le premier se tient à Montmartre au restaurant du Château-Rouge le 9 juillet 1847. Après de nombreux rassemblements en province, l'interdiction du banquet final prévu le 22 février 1848 dans le 12e arrondissement enflamme la capitale. La Garde nationale, une fois encore, se dissocie du roi qui démissionne Guizot et nomme Mollé à la tête du gouvernement. Ni les armes du général Bugeaud, chef de l'armée de Paris, ni l'abdication royale en faveur de son petit-fils, le comte de Paris, ne parviennent à freiner le mouvement. La révolution est déjà en marche dans les rues et sur les barricades. Le Paris républicain et romantique est maître de la Chambre et forme à l'Hôtel de Ville un gouvernement provisoire. La Seconde République est proclamée le 24 février. Louis Antoine Garnier-Pagès devient maire de Paris. À l'Assemblée nationale, élue au suffrage universel, réunie le 4 mai, le romantique Alphonse de Lamartine (1790-1869) triomphe : il est le mieux élu des 34 députés parisiens.

La République n'est qu'une courte parenthèse de quatre années. Quelques mois après cette manifestation du lien entre la passion politique de la ville et le lyrisme romantique, Paris ouvre la voie à Louis-Napoléon Bonaparte. Les suffrages de la capitale le portent à la députation (septembre). Et, le 10 décembre, avec près de 60 % des suffrages exprimés sur son nom, Paris est à l'unisson du pays. Le nouveau président de la République prend possession du palais de l'Élysée. Trois ans après, préparé de longue date, le coup d'État du 2 décembre 1851 installe le Second Empire aux Tuileries. Paris ne réagit que les 3 et 4. L'armée a reçu l'ordre d'écraser toutes les tentatives d'insurrection qui ont lieu dans le faubourg Saint-Antoine et sur les boulevards. Ce sont 400 morts, dont le député républicain Baudin (« Je vais vous montrer comment on meurt pour 25 F »), qui accompagnent la naissance du nouveau régime. Le peuple de Paris ne l'oubliera pas.

III. – Les transformations, de Rambuteau à Haussmann

Le XIXe siècle conforte Paris dans son statut de première ville française. Alors que les communes de province connaissent une stagnation (population, croissance), la capitale est plus que jamais le grand pôle urbain du pays. Le nombre de ses habitants croît de manière spectaculaire. La rive droite constituant un sous-ensemble deux à trois fois plus peuplé.

Parallèlement, la ville s'agrandit. Après les invasions de 1815, la conception de la ville ouverte est remise en cause. La loi du 3 avril 1841, aboutissement des réflexions menées depuis plus de vingt ans par les comités de fortifications ou la commission dite de défense du Royaume, intègre les petites communes périphériques (Auteuil, Passy, Batignolles, Montmartre, La Chapelle, La Villette, Belleville, Charonne, Bercy, Ivry, Gentilly,

Tableau 2. – **Population parisienne de 1801 à 1901**

1801 :	548 000 habitants	1846 :	1 053 000 habitants
1807 :	580 000 habitants	1856 :	1 174 000 habitants
1811 :	624 000 habitants	1860 :	1 696 000 habitants
1817 :	714 000 habitants	1872 :	1 850 000 habitants
1831 :	785 000 habitants	1877 :	1 985 000 habitants
1836 :	867 000 habitants	1891 :	2 448 000 habitants
1841 :	935 000 habitants	1901 :	2 715 000 habitants

Montrouge, Vaugirard, Grenelle). De 1841 à 1845 se forme une nouvelle, et dernière, enceinte, qui prend le nom de Thiers, composée de 17 forts, 94 bastions sur 36 km avec des fossés de 15 m de large. Le 1er janvier 1860, l'annexion de l'espace situé entre l'ex-mur des Fermiers généraux et ces fortifications permet à la capitale d'atteindre une superficie de 7 088 ha, soit un gain de 3 800 ha, et une population de 1 600 000, soit une augmentation de 400 000 habitants.

De 1815 à 1870, trois préfets de la Seine ont marqué la vie de la capitale (Chabrol, Rambuteau, Haussmann).

Chabrol. Joseph-Gaspard Chabrol de Volvic est resté à ce poste de 1812 à 1830. Selon le mot de Louis XVIII : « Monsieur de Chabrol est marié avec la ville de Paris. » Il est à l'origine de plusieurs lotissements : Batignolles (1821), quartier Saint-Georges et François-Ier (1823), Beaugrenelle (1824), le quartier de l'Europe (1826). Au cours de ces années, une soixantaine de rues nouvelles sont ouvertes. Plusieurs sociétés privées sont parties prenantes dans l'aménagement de ces nouveaux quartiers. L'entreprise du financier Dosne investit le quartier Notre-Dame-de-Lorette ; la société Hagermann, le quartier de l'Europe. Les banquiers André, Cottier et surtout Jacques Lafitte (député de Paris en 1816) spéculent sur les opérations immobilières dans le quartier Poissonnière (ancien enclos Saint-Lazare). Le lotissement d'une partie du quartier François-Ier est dû à l'initiative du colonel de Brack.

Le passage devient l'un des éléments architecturaux caractéristiques de ces années 1815-1848. La famille d'Orléans avait créé en 1785 la première galerie au Palais-Royal. Depuis, ces passages couverts d'une verrière, itinéraires sécurisants avec de nombreuses boutiques, sont très appréciés des Parisiens. Parmi les plus fréquentés : le passage des Panoramas (1800), de l'Opéra (1822), Vivienne (1823), Trocadéro (1824), Sainte-Anne (1829), Montesquieu (1830), de la Madeleine (1845) et de la Sorbonne (1846).

Dans ces décennies, l'éclairage se perfectionne. Dès le début des années 1820, les vieux quinquets sont remplacés par le gaz dans les grandes artères (rue de la Paix, rue de Castiglione) et sur les places (place Vendôme, place de l'Odéon) du centre de la ville. En 1830, plus de 1 000 Parisiens sont abonnés au gaz.

Rambuteau. Le comte Barthelot de Rambuteau, fait préfet par Napoléon en 1813, occupe la fonction de préfet de la Seine de 1833 à 1848. Son œuvre est considérable et ne peut être résumée comme une simple préfiguration des projets haussmanniens. En quinze années, le tableau parisien change. Cœur de la cité, l'hôtel de ville du Boccador est agrandi. Par décision du 30 avril 1835, le conseil municipal confie aux architectes Godde et Lessueur la direction de ces travaux. Ils coûtent 12 millions et s'étalent sur cinq années (1837-1842). En 1833, une nouvelle statue de Napoléon domine la colonne Vendôme. L'Arc de Triomphe est inauguré le 29 juillet 1836. Quant à la place de la Bastille, elle est désormais dominée par les 52 m de la colonne de Juillet avec le Génie de la Liberté. Le 25 octobre 1836, la place de la Concorde, redessinée par Jacques Hittorf (1792-1867), accueille en son centre l'obélisque de Louqsor (220 000 kg) offert par Méhémet Ali, vice-roi d'Égypte. Six nouveaux ponts (Bercy, Saints-Pères, Louis-Philippe) sont jetés sur la Seine. En 1847, l'île Louviers est rattachée à la rive droite. La monarchie de Juillet voit aussi s'achever les travaux de la Madeleine, des églises Notre-Dame-de-Lorette et Saint-Vincent-de-Paul et du palais Bourbon.

La nécessaire aération de la ville (« donner aux Parisiens de l'eau, de l'air et de l'ombre », disait Rambuteau) entraîne l'ouverture de 110 voies. Les rues sont élargies. La rue d'Arcole (1837) traverse l'île de la Cité du parvis de Notre-Dame à l'Hôtel de Ville sur une largeur de 12 m. La rue Rambuteau (1845), large de 13 m, réunit le Marais aux Halles. Cette percée est le premier vaste chantier imposant expropriations et démolitions.

La même exigence d'air et d'hygiène conduit le préfet de la Seine à faire nettoyer les contre-allées des boulevards. De même, la lutte contre l'insalubrité des rues (boue, eaux usées) passe par la multiplication des voies bombées et des trottoirs. Dernière innovation : le bitume, qui fait son apparition au Palais-Royal. Le paysage urbain change aussi avec la plantation de milliers d'arbres et l'intensification de l'éclairage avec 10 000 becs de gaz en 1848.

L'eau demeure certainement la grande priorité de Rambuteau.

Le percement du puits de Grenelle, l'installation de deux mille bornes-fontaines s'ajoutent aux créations de nouvelles fontaines (Louvois, Saint-Sulpice, Molières). L'eau est au centre d'un important commerce. Les Auvergnats exercent le métier de porteur d'eau. Ils livrent ce bien sur un chariot ou avec un joug et deux seaux au domicile des plus fortunés. Le nom de Rambuteau reste longtemps attaché aux urinoirs qui sont construits sur les boulevards.

Haussmann. Le baron Georges Eugène Haussmann (1809-1891) est nommé préfet de la Seine le 29 juin 1853. Il succède à Berger (1848-1853). En ce milieu du XIXe siècle, Paris est toujours une ville malade. Les descriptions d'Eugène Sue sont précises et précieuses : rues étroites, maisons à étages et forte concentration de populations dans les quartiers pauvres du centre (plusieurs milliers d'habitants au kilomètre carré).

« Le 13 décembre 1838, par une soirée pluvieuse et froide, un homme d'une taille athlétique, vêtu d'une mauvaise blouse, traversa le pont au Change et s'enfonça dans la Cité, dédale de rues obscures, étroites, tortueuses, qui s'étend depuis le palais de justice jusqu'à Notre-Dame... Cette nuit-là, donc, le vent s'engouffrait violemment dans les espèces de ruelles de ce lugubre quartier ; la lueur blafarde, vacillante, des réverbères agités par la bise, se reflétait dans le ruisseau d'eau noirâtre qui coulait au milieu des pavés fangeux. Les maisons, couleur de boue, étaient percées de quelques rares fenêtres aux châssis vermoulus et presque sans carreaux. De noires, d'infectes allées conduisaient à des escaliers plus noirs, plus infects encore, et si perpendiculaires, que l'on pouvait à peine gravir à l'aide d'une corde à puits fixée aux murailles humides par des crampons de fer » (Eugène Sue, *Les Mystères de Paris*).

Au début du Second Empire, la ville conserve son cœur médiéval. Les quartiers sont de véritables taudis. Le choléra a fait des milliers de morts en 1832, 1848, 1849, 1853 et 1865.

Dans la mutation de l'espace parisien, Napoléon III tient une place centrale. Depuis son élection à la présidence de la République (1848), il a souvent exposé au préfet Berger sa politique pour Paris. Les premiers travaux (le prolongement de la rue de Rivoli) débutent dès 1852.

« Paris est le cœur de la France. Mettons tous nos efforts à embellir cette grande cité, à améliorer le sort de ses habitants, à les éclairer sur leurs véritables intérêts. Ouvrons des rues nouvelles, assainissons les quartiers populeux qui manquent d'air et de jour, et que la lumière bienfaisante du soleil pénètre partout dans nos murs, comme la lumière de la vérité dans nos cœurs » (Napoléon, 1850).

Haussmann a justement rappelé dans ses *Mémoires* ces directives impériales tracées sur le plan de Verniquet fixant avec des traits de différentes couleurs les nouveaux axes de circulation qui devaient modifier la vie de la capitale. Lors de son exil londonien, le futur empereur a été convaincu des bienfaits de la destruction des quartiers insalubres et de la construction des larges artères, qui modifient le paysage urbain de la capitale anglaise.

Avec Napoléon III et Haussmann, il faut désormais parler de politique urbaine. La ville est considérée, contrairement aux projets antérieurs, dans sa globalité. Il ne s'agit pas uniquement de réaliser quelques percées nouvelles, mais de réaménager les quartiers centraux, de faciliter la circulation des hommes et de l'air avec des voies élargies, d'établir des liens entre la périphérie et le cœur, de relier les gares et les pôles internes de la ville, de multiplier les équipements collectifs… La percée haussmannienne casse l'ancien cadre urbain (le parcellaire et les fortes densités des quartiers du centre) et établit de nouveaux axes, plus droits, plus larges partant d'une gare, d'une place ou d'un monument. Paris respire mieux, mais les Parisiens les plus humbles partent vers la périphérie. Les expropriations font en effet place aux immeubles haussmanniens. Les maçons du Limousin vivent des années d'or.

« Ils dégagent le Louvre et l'Hôtel de Ville. Jeux d'enfants que cela ! Paris hachée à coups de sabre, les veines ouvertes, nourrissant 100 000 terrassiers et maçons, traversé par d'admirables voies stratégiques qui mettront les forts au cœur des vieux quartiers » (Émile Zola, *La Curée*, 1872).

De 1853 à 1868, Haussmann est le maître d'œuvre des grandes opérations qui métamorphosent le paysage et la vie des Parisiens. Avec la multiplication des expropriations simplifiées par le sénatus-consulte du 25 décembre 1852, des milliers de déménagements imposés, des démolitions, d'importants percements, la ville bourgeoise est en construction. « De profondes tranchées, dont plusieurs sont déjà de magnifiques rues, sillonnent la ville en tous sens ; les îlots de maisons disparaissent comme par enchantement, des perspectives nouvelles s'ouvrent, des aspects inattendus se dessinent » (Théophile Gautier). L'haussmannisation de Paris ne s'arrête assurément pas en janvier 1870 avec le renvoi du baron. Jusqu'au début du XXᵉ siècle, plusieurs quartiers vivent au rythme d'opérations lancées dans les années 1860.

En quelques mois, l'île du Moyen Âge entre, sous les coups des démolisseurs, dans le XIXᵉ siècle. À partir de 1865, l'île de la Cité est, tardivement mais indéniablement, la plus touchée, la plus transformée par les projets haussmanniens. Un chantier dont l'ampleur s'explique en partie par les peurs du pouvoir devant les émeutes populaires dans ce quartier. La phrase de René Héron de Villefosse : « Le décor médiéval, sur lequel veillait Notre-Dame, fut coupé à blanc comme une forêt mise en friche », résume pertinemment l'état des lieux après les démolitions réalisées entre le palais de justice et la cathédrale, dont la restauration entreprise par Viollet-le-Duc est achevée en 1864. L'Hôtel-Dieu est maintenu, le palais de justice rénové, la place Dauphine épargnée, mais disparaissent de nombreuses rues, des hôtels prestigieux et de petites églises.

Parmi les grandes opérations : la grande croisée nord-sud et est-ouest (référence au tracé d'un cardo et d'un decumanus de l'Antiquité) constituée par la rue de Rivoli (de la rue Saint-Antoine aux Tuileries) et les boulevards de Strasbourg, Sébastopol (ouvert en 1858) prolongée sur la rive gauche par le boulevard Saint-Michel (qui à l'origine avait pour nom boulevard de Sébastopol rive gauche). Dans cet ensemble, la place du Châtelet et la place Saint-Michel encadrent l'île de la Cité. Au nombre des principales places-carrefours et les percées, citons la majestueuse place de l'Étoile avec les 12 grandes avenues qui la rejoignent, la place de l'Opéra (l'Opéra de Garnier est inauguré en 1875) et l'avenue de l'Opéra (1864-1876), la rue de la Paix et la nouvelle rue du Dix-Décembre (futur 4-Septembre) et le boulevard Haussmann, lien entre l'Étoile et l'Opéra. La place du Châtelet, entourée par deux théâtres, est agrandie, légèrement déplacée afin de la situer réellement dans la perspective nord-sud et reliée à l'Hôtel de Ville par la création de l'avenue Victoria (1855) et aux pavillons des Halles de Baltard par la rue des Halles.

Sur la rive gauche, la rue des Écoles est percée (1852). Le chantier du boulevard Saint-Germain est ouvert en 1855. Pendant de la rue de Rivoli, il doit rejoindre (avec le boulevard Henri-IV) la Concorde à la place de la Bastille. Étoile sud du dispositif haussmannien, la place d'Italie est le nœud de convergences de nouveaux boulevards.

Avec l'ingénieur en chef des Promenades et des Plantations, Jean-Charles-Adolphe Alphand (1817-1891), le baron Haussmann offre à la ville son grand jardinier. L'empereur, là encore, influencé par son séjour anglais, a donné l'impulsion. Au nom d'Alphand, il faut aussi ajouter celui de l'horticulteur Barillet-Deschamps et l'architecte Davioud. Leur bilan dans l'embellissement des quartiers et l'inventaire des plantations, des jardins, des squares, des kiosques, des pavillons est impressionnant. Sont aménagés à l'ouest et à l'est le bois de Boulogne et celui de Vincennes, ainsi que trois parcs (Buttes-Chaumont, Montsouris, Monceau).

À chaque percée est associé un alignement d'arbres. Le chiffre de 82 000 arbres est avancé. Le plus bel exemple est probablement l'actuelle avenue Foch, anciennement la prestigieuse avenue de l'Impératrice, large de 140 m sur 1,5 km, avec ses contre-allées pour les cavaliers et une succession de pelouses et 4 000 arbres, entre le bois de Boulogne et l'Étoile.

Dans cet ensemble napoléonien et haussmannien prennent place les gares, le réseau d'équipements (eau, égout) et les nouveaux bâtiments publics. Avec les constructions de l'architecte Raynaud et d'Hittorf (1792-1867), la ville compte six gares à la fin du Second Empire (Saint-Lazare, Nord, Est, Lyon, Orléans, Rennes).

Au terme de ces pages, comment ne pas considérer que l'empreinte d'Haussmann est des plus prégnantes (et pour longtemps) dans la vie de la capitale ?

« Cela veut dire que Paris est désormais une ville du XIXᵉ siècle. Cette affirmation simple et minimale fait encore scandale et pourtant on est bien obligé de s'y tenir. Paris a le visage qu'elle a trouvé avec et sous Haussmann. On peut détester cette image et refuser de se pencher sur le miroir qui renvoie une telle vérité, jugée insupportable. Quoi que l'on fasse, quoi que l'on pense, Paris n'est principalement pas une ville médiévale ni une ville baroque ni une ville néoclassique. Toulouse, Rome, Saint-Pétersbourg font mieux dans le genre. Paris est bien une ville du XIXᵉ siècle. Si les villes sont composées de couches successives, il semble bien que le grand moment de la stratification de Paris ait eu lieu dans la seconde moitié du XIXᵉ siècle sous les auspices d'Haussmann et qu'il ne soit plus possible d'en séparer la tranche haussmannienne. Paris est à présent une ville indivisible ; elle a été, bien ou mal, haussmannisée. »

IV. – **La scène républicaine et radicale**

Au début du mois de septembre 1870, la nouvelle de la défaite de Sedan enfièvre la capitale. Dès le 4 septembre 1870, Paris est au cœur (le centre ?) de la République naissante. Des milliers d'habitants ont envahi le palais Bourbon et exigent la déchéance du régime. Le corps législatif capitule, et le pouvoir est désormais, une fois encore, à l'Hôtel de Ville. Il faut se rendre au plus vite place de Grève. Comme l'affirme Jules Favre au général Trochu : « C'est là que doivent se rendre les hommes qui entendent contribuer à sauver le pays. »

La capitale redonne le pouvoir aux républicains et reprend le drapeau tricolore afin de prolonger la guerre franco-prussienne.

« Paris a l'habitude de gouverner la France. Depuis des siècles, dans ce pays centralisé, le mot d'ordre vient de la capitale. Aussi, dès les premiers moments, personne ne s'étonna de voir Paris s'emparer, en quelque sorte, du pouvoir vacant et le confier à ses représentants.

« Paris était, d'ailleurs, dans une situation exceptionnelle. Place forte, camp retranché, rouage indispensable à la vie normale de la nation, il allait devenir bientôt l'objectif principal des armées ennemies. À tort ou à raison, on s'arrêtait à l'idée que Paris enfermait, dans ses murs, le salut et l'honneur du pays » (Gabriel Hanotaux).

La capitale se replie dès les premières semaines de la guerre derrière ses forts. La ville prend des allures de camp retranché alors que ceux qui le peuvent encore fuient. Le 17 septembre, la capitale est assiégée par l'armée de Moltke, soit 300 000 Prussiens. Le dernier trait d'union entre la ville et l'extérieur : le télégraphe du chemin de fer de l'Ouest, ne fonctionne plus : Paris est isolé du reste de la France.

Étienne Arago occupe le fauteuil de maire de Paris et Jules Ferry les fonctions de délégué du gouvernement près de l'administration du département de la Seine.

Dans son premier message aux Parisiens, le maire en appelle au passé et à la continuité du Paris révolutionnaire et patriotique.

« Citoyens,

« Je viens d'être appelé par le peuple et le gouvernement de défense nationale à la mairie de Paris. En attendant, que vous soyez convoqués pour élire votre municipalité, je prends, au nom de la République, possession de cet Hôtel de Ville, d'où sont toujours partis les grands signaux patriotiques en 1792, 1830, 1848.

« Comme nos pères ont crié, je vous crie : citoyens, la patrie est en danger ! Serrez-vous autour de cette municipalité parisienne, où siège aujourd'hui un vieux soldat de la République. »

Le référendum-plébiscite du 3 novembre et les élections des maires et des adjoints d'arrondissement des 5-7 novembre confirment la confiance des électeurs parisiens pour le gouvernement provisoire. À la question : « La population maintient-elle, oui ou non, les pouvoirs du gouvernement de la Défense nationale ? », les Parisiens répondent massivement par l'affirmative. Les résultats du référendum lui sont extrêmement favorables : 557 996 oui (90,1 %), contre 62 638 non.

Le siège et les bombardements (à partir de janvier) des Prussiens imposent de terribles restrictions à la population. De novembre à janvier, les édiles ont avant tout en charge la gestion de la vie quotidienne des arrondissements dans une période où les souffrances des Parisiens s'accentuent. Dès le 9 novembre, la neige recouvre la capitale, et les conditions de vie se détériorent considérablement. Au cours de cet hiver difficile (la température chute en deçà de – 10 ºC), les Parisiens, isolés, doivent combattre le froid et la faim.

Pour les deux millions d'habitants, qui survivent dans la capitale, l'armistice du 22 janvier est pourtant moins un soulagement qu'une trahison du gouvernement.

Après quatre mois et douze jours de résistance, Paris a le sentiment d'avoir été abandonnée par le pays, puis sacrifiée.

Les Parisiens n'acceptent pas que leur « combat » (près de 80 000 morts et blessés, cent treize jours de privations au cours desquels Paris dans son blocus n'a guère senti le soutien de la province) s'achève lors d'une négociation, dont ils sont exclus, entre Jules Favre et Bismarck.

La rupture avec l'assemblée de Bordeaux puis de Versailles prolonge l'isolement de la capitale. Dans une Assemblée majoritairement conservatrice et rurale, élue le 8 février, les députés parisiens restent l'expression d'une capitale favorable à la République. Le fossé avec le reste du pays se creuse davantage. Les déclarations hostiles de la majorité monarchiste à un retour de la Chambre à Paris, le projet de décapitalisation sont autant de gestes et de symboles, qui accentuent la fracture entre Paris et Versailles (le choix de Versailles comme siège de la nouvelle Assemblée nationale ne fait qu'accentuer cette défiance réciproque).

Le 18 mars, l'opération militaire sur la butte Montmartre se solde par un échec et la mort des généraux Clément Thomas et Lecomte : revers d'une reconquête du pouvoir parisien par l'armée régulière et début de l'insurrection. Thiers ordonne l'évacuation de Paris. Mouvement de retrait tout aussi militaire que politique : la capitale est laissée aux comités révolutionnaires. La Commune de Paris dure soixante-douze jours (18 mars-28 mai). Après les scrutins du 26 mars, le Conseil général de la Commune exerce le pouvoir. Quelques décisions sont prises : adoption du drapeau rouge, retour au calendrier révolutionnaire, vote de séparation de l'Église et de l'État, création d'une milice populaire, enseignement primaire laïc, gratuit et obligatoire. Lors de la Semaine sanglante (21 au 28 mai), l'armée versaillaise anéantit l'insurrection. La répression est impitoyable. Pendant ces journées de guerre civile, Paris est en feu. Les derniers combats se déroulent près du Père-Lachaise. Plusieurs monuments sont détruits partiellement ou totalement par les flammes : les Tuileries, l'Hôtel de Ville, la Cour des comptes, le ministère des Finances, le Conseil d'État, le palais de la Légion d'honneur...

La Commune de Paris écrasée, le gouvernement entend remettre Paris au rythme des consultations de l'ensemble du pays. La loi d'avril 1871 a placé la capitale dans un cadre, un carcan législatif, dont l'unique objet est de maintenir la ville et son conseil municipal sous haute surveillance.

Pour éviter toute politisation des élections, la ville est découpée en 80 quartiers. Pour empêcher que la politique nationale ne s'installe dans les débats de l'Hôtel de Ville, les conseillers municipaux voient leurs attributions limitées aux affaires locales.

Les élections municipales de juillet 1871 scellent la présence d'un fort courant républicain dans l'électorat parisien. Le premier président du conseil municipal est le conseiller du quartier (4e arrondissement) : Joseph Vautrain. Dans les années 1873-1879, devant l'Ordre moral du gouvernement de Broglie et l'autorité de Mac-Mahon, Paris accentue ses choix républicains à chaque consultation. En 1878, sur les 80 élus du conseil, 75 sont favorables à la République. Les monarchistes sont réduits à la portion congrue et ne représentent que des quartiers des 7e et 8e arrondissements. Sur la scène politique nationale, la capitale est désormais un fervent acteur républicain. Les années 1970 consolident les liens qui unissaient Paris et la République.

Avec la démission de Mac-Mahon et l'installation de Jules Grévy à l'Élysée est de nouveau posée la définition même du poids politique du conseil municipal de la première ville de France. Dès le début janvier 1879, les républicains radicaux exigent du ministre de l'Intérieur, de Marcère, la nomination d'un préfet républicain et l'autonomie municipale (élection d'un maire de Paris, le conseil municipal décide par ses délibérations de toutes les affaires d'intérêt communal). Le combat radical séduit la capitale qui donne au radicalisme parisien la majorité relative, voire absolue des sièges de 1881 à 1900. Seuls, puis avec les socialistes, les radicaux dirigent les affaires municipales. Pendant près de vingt années, Paris est une scène républicaine et radicale. Symbole de cette empreinte politique : les changements de noms de rues et la multiplication des statues dans les arrondissements. L'architecture urbaine exprime la force de la République laïque dans la capitale. Ainsi, après l'inauguration de la place de la République (ancienne place du Château-d'Eau), le conseil municipal du 10 juin 1879 propose que les trois somptueuses avenues Reine-Hortense, Joséphine et Roi-de-Rome soient rebaptisées des trois généraux Hoche, Marceau et Kléber, que le boulevard Haussmann devienne le boulevard Étienne-Marcel (prévôt de Paris qui, dès le XIVe siècle, revendique les franchises municipales demandées par les radicaux).

Cœur de la vie politique de la capitale, l'Hôtel de Ville est reconstruit entre 1874 et 1882. Le 13 juillet 1882, Jules Grévy, Songeon, président du conseil municipal, et le préfet Charles Floquet inaugurent le nouvel édifice, « maison paternelle de la cité, antique berceau de ses libertés municipales, théâtre souvent glorieux, orageux quelquefois, et toujours attachant, des dramatiques événements qui remplissent son émouvante histoire » (Grévy). En 1883, l'imposante statue de la République est placée au centre de la place du même nom. Les ruines des Tuileries sont définitivement rasées en 1884. En 1885, c'est un Panthéon laïcisé qui reçoit le corps de Victor Hugo. Lui qui, en 1867, écrivait sa passion pour Paris, ce semeur d'étincelles qui « a sur la terre une influence de centre nerveux. S'il tressaille, on frissonne ».

V. – À l'ombre de la tour Eiffel

En 1889, Paris accueille une nouvelle exposition universelle. Dans un contexte marqué par la crise boulangiste, le gouvernement veut faire du centenaire de la Révolution française une grandiose manifestation républicaine. C'est la quatrième Exposition universelle qui se tient dans la capitale. En 1855, réplique à l'expo de 1851 (Crystal Palace) et aux progrès économiques de l'Angleterre, l'exposition parisienne célèbre l'avenir industriel du Second Empire. L'ingénieur Alexis Barrault construit un vaste palais de l'Industrie dans le bas des Champs-Élysées. En 1867, sur le Champ-de-Mars, c'est une grande fête impériale qu'organise Le Play. Onze millions de visiteurs admirent les réalisations napoléoniennes et haussmanniennes. L'Exposition universelle de 1878 est avant tout la célébration du redressement national, après la défaite et la guerre civile. Sur la colline de Chaillot, le palais du Trocadéro de Davioud et Bourdais est le centre de l'événement. Le bâtiment sera détruit pour la préparation de l'Exposition de 1937.

Symbole de cette manifestation internationale : la tour Eiffel. Le projet de Gustave Eiffel est retenu parmi la centaine proposée.

« Chef-d'œuvre de l'art des ingénieurs du XIXe siècle, la tour Eiffel incarne le triomphe du calcul et l'irruption dans le paysage architectural moderne de cette transparence presque dématérialisée que permet le métal. C'est aussi un symbole de la foi dans le progrès scientifique et technique, dont les expositions universelles sont les grandes célébrations » (B. Lemoine).

En deux années (1887-1889), la Tour s'impose dans la capitale malgré les sévères pamphlets de nombreux écrivains et architectes. Le manifeste de « La Protestation des artistes » prend la forme d'une lettre adressée le 14 février à Alphand, directeur général des travaux. Quelles signatures ! Coppée, Dumas, Leconte de Lisle, Maupassant, Sully Prudhomme, mais aussi Charles Gounod et Charles Garnier.

« Nous venons, écrivains, peintres, sculpteurs, architectes, amateurs passionnés de la beauté jusqu'ici intacte de Paris, protester de toutes nos forces, de toute notre indignation, au nom du goût français méconnu, au nom de l'art et de l'histoire français menacés, contre l'érection, en plein cœur de notre capitale, de l'inutile et monstrueuse tour Eiffel que la malignité publique, souvent empreinte de bon sens et d'esprit de justice, a déjà baptisée du nom de tour de Babel... »

Nonobstant ces attaques, la Tour de 300 m et de 7 300 t (2 millions de rivets, 1 600 marches) est achevée à la fin mars 1889. L'Exposition ouvre le 6 mai. Le 15 mai, le public peut accéder... à pied (les ascenseurs ne seront en service que le 26 mai) au deuxième étage. La galerie des Machines de Duter et Contanin constitue le second pôle de l'Exposition universelle. Sous une nef de verre (400 m de long, 110 m de large, 45 m de haut), elle présente les grandes réussites industrielles contemporaines.

Jusqu'au 6 novembre (date de clôture), l'Expo accueille 25 millions de visiteurs. C'est un succès pour Paris et... Eiffel.

Onze années plus tard, pour l'Exposition de 1900, ce sont 50 millions de visiteurs qui donnent à Paris les allures de capitale de l'Europe dominante. Bien qu'éclairée grâce à la « fée Électricité », la tour Eiffel n'est plus l'attraction phare de la fête. Elle n'attire qu'un petit million de curieux, soit moitié moins qu'en 1889. C'est en effet le Pavillon de l'électricité qui fascine le public national et international. Pour cette manifestation, à côté de la Grande Roue (plus de 100 m de haut, 40 wagons, 1 600 passagers), située avenue de Suffren, attraction monumentale, sont construits le Petit et le Grand Palais et le pont Alexandre-III en l'honneur de la visite du tsar.

L'Exposition exalte tous les progrès qui ont changé la vie parisienne durant cette dernière décennie du XIXe siècle (cinéma des frères Lumière (1895), automobile, téléphone, phonographe...). Le mouvement, la vitesse se traduisent dans la naissance du Métropolitain. Depuis les projets des ingénieurs Flachat et Le Hir (1853-1854), la question de la construction souterraine d'un chemin de fer est posée. Le conflit de compétence entre la ville de Paris, le département et l'État est très largement à l'origine du retard pris. Le transport urbain souterrain existe à Londres depuis 1863, à New York dès 1868, à Berlin à compter de 1877 et à Budapest à partir de 1896. Il faut attendre 1896-1897 pour que débutent, avec l'ingénieur Fulgence Bienvenüe (1852-1936), les travaux sous l'égide de la Compagnie générale de traction du baron Édouard Empain. Pendant de nombreux mois, la vie de la capitale est de nouveau paralysée par les chantiers à ciel ouvert. La mise en service de la ligne n° 1 du Métropolitain électrique allant en vingt-cinq minutes et 18 stations de la porte de Vincennes à la porte Maillot a lieu le 19 juillet 1900. Le style Guimard *(Modern style)*, bien que très contesté, est associé au travers des entrées de cette première ligne à l'architecture du Métropolitain. Le 13 décembre, la ligne circulaire nord de la porte Dauphine à l'Étoile est ouverte. En 1914, la ville compte 12 lignes qui ne dépassent cependant pas les portes de Paris. Par ces itinéraires internes et l'incompatibilité métro-chemin de fer, ce jeune moyen de transport accentue pour de longues années la coupure Paris-banlieue.

L'Exposition de 1900 est aussi une grande fête républicaine. Le 22 septembre, dans le jardin des Tuileries, sous 4 ha de tentes de toiles, un banquet républicain présidé par Émile Loubet, président de la République, réunit 22 000 maires. Comme en 1889, ce banquet se veut une réplique aux manifestations hostiles au régime (mouvements nationalistes, combats des adversaires de Dreyfus).

À l'ombre de la tour Eiffel, Paris connaît depuis dix années une intense vie politique. La plupart des crises et des « fièvres hexagonales » (Michel Winock) se déroulent sur la scène-capitale. Le 14 juillet 1886, les Parisiens ovationnent Boulanger, le récent ministre de la Guerre, lors de la revue nationale. Le chansonnier Paulus amuse toute la capitale en célébrant « not "brav" général ».

À la faveur d'une élection partielle de janvier 1889, à la veille de l'Exposition universelle, Boulanger revient à Paris. Il est élu député au premier tour contre le républicain Jacques. L'ampleur du succès, les manifestations d'enthousiasme sur les boulevards font naître les rumeurs d'un coup de force boulangiste contre l'Élysée. Il n'en sera rien. La peur nourrit en revanche la réaction du gouvernement. Boulanger quitte la France le 1er avril. Le scandale de Panama relance l'agitation parisienne (bagarre au Tivoli-Vauxhall, manifestations, duels). La mobilisation contre les « chéquards » entraîne la défaite des députés Floquet et Clemenceau (1893). Les attentats anarchistes des années 1890 endeuillent la population. L'attentat de la rue des Bons-Enfants (8 novembre 1892) fait six morts. Après les actes de terreur de Ravachol, la bombe lancée par l'anarchiste Auguste Vaillant dans l'enceinte de l'Assemblée nationale blesse 40 parlementaires. Les manifestations nationalistes se multiplient dans les rues avec le développement de l'affaire Dreyfus. La Ligue des patriotes de Déroulède prend la tête de cette agitation. La presse parisienne et nationale s'engage dès 1897. Aux campagnes antisémites d'Édouard Drumont répond, le 13 janvier 1898, l'article d'Émile Zola dans *L'Aurore*. L'opposition dreyfusards-antidreyfusards ne cesse de s'exacerber dans la capitale. Lors des obsèques de Félix Faure, Déroulède échoue dans sa tentative de coup d'État (23 février 1899). Pour échapper à une arrestation, Jules Guérin, chef de ligue antisémite, se retranche dans un hôtel de la rue Chabrol. Pendant plus d'un mois (12 août-20 septembre), il soutient contre la police, et le préfet, un siège (« fort Chabrol ») qui capte l'attention des Parisiens. En mai 1900, quelques jours avant l'ouverture de l'Exposition universelle, les élections municipales de Paris résonnent comme un coup de tonnerre. Après vingt années d'une domination radicale, les nationalistes conquièrent l'Hôtel de Ville. Nouveau siècle, nouvelle majorité, Paris se démarque du reste du pays. La gauche (radicale et socialiste) retrouve en 1904 une majorité de sièges. Mais, en novembre 1909, une crise interne, liée à l'attitude du conseil municipal après l'assassinat de l'anarchiste Ferrero, fait éclater l'Union des gauches. La droite reprend la direction des affaires municipales (Ernest Caron est président du conseil municipal). Jusqu'en 1914, l'Hôtel de Ville est un bastion républicain, national et anticollectiviste.

À l'ombre de la tour Eiffel, Paris domine la Belle Époque, période de prospérité et d'inventions allant des années 1890 à la Première Guerre mondiale.

« Témoin d'un âge d'or révolu, Jean Béraud est indissociable du Paris de la Belle Époque. Il a immortalisé ses calèches, ses bicyclettes à l'ancienne et ses premières automobiles, ses lieux à la mode comme le café Tortoni, l'hippodrome d'Auteuil ou le théâtre du Vaudeville, ses jolies femmes, élégantes à l'Opéra ou grisettes de chez Paquin. »

Depuis le 15 mars 1891, la France vit à l'heure unique du méridien de Paris. En 1895, au 44, rue de Rennes, les frères Lumière lancent le cinématographe. La première séance (*L'Arrivée du train en gare de La Ciotat, L'Arroseur arrosé*), publique et payante, a lieu au Grand Café en décembre de la même année. En 1901, l'aviateur brésilien Santos-Dumont (1873-1932) gagne le prix Deutsch-de-la-Meurthe pour son vol en dirigeable de Saint-Cloud à la tour Eiffel. Le 23 octobre 1906, il fait décoller son aéroplane depuis le terrain de Bagatelle et parcourt 60 m et, le 12 novembre, 220 m. Parallèlement au développement du Métropolitain, le premier autobus à essence assure une liaison entre la Bourse et le cours de la Reine (1905). L'année suivante, les autobus Brillé-Schneider (30 places) font leur apparition. La vie urbaine est de plus en plus tributaire des merveilles de l'électricité. L'incendie de l'Opéra-Comique (25 mai 1887) accélère indéniablement l'aménagement de l'éclairage électrique, dont la diffusion est aussi associée à la lutte contre les insécurités (violences, circulation). Les appartements bénéficient aussi de cet apport. Quelques véhicules électriques avec batteries font même leur

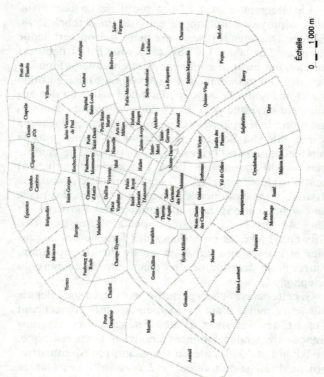

Figure 3. – Les 80 quartiers de Paris (1871)

Échelle

0 ━━ 1 000 m

Porte de Flandre, Chapelle, Goutte d'Or, Clignancourt, Grandes Carrières, Épinettes, Batignolles, Plaine Monceau, Ternes, Porte Dauphine, Muette, Auteuil, Javel, Grenelle, Saint-Lambert, Plaisance, Necker, École Militaire, Gros-Caillou, Invalides, Chaillot, Faubourg du Roule, Europe, Madeleine, Champs-Élysées, Place Vendôme, Saint-Thomas d'Aquin, Saint-Georges, Chaussée d'Antin, Saint-Germain des Prés, Odéon, Notre-Dame des Champs, Petit Montrouge, Montparnasse, Saint, Val de Grâce, Sorbonne, Croulebarbe, Maison Blanche, Jardin des Plantes, Saint-Victor, Salpêtrière, Gare, Bercy, Quinze-Vingts, Bel-Air, Picpus, Charonne, Père-Lachaise, Sainte-Marguerite, La Roquette, Saint-Ambroise, Folie-Méricourt, Belleville, Combat, Amérique, Villette, Saint-Fargeau, Hôpital Saint-Louis, Saint-Vincent de Paul, Rochechouart, Faubourg Montmartre, Vivienne, Gaillon, Palais Royal, Saint-Germain l'Auxerrois, Halles, Mail, Bonne-Nouvelle, Porte Saint-Denis, Porte Saint-Martin, Arts et Métiers, Enfants Rouges, Sainte-Avoye, Archives, Saint-Merri, Notre-Dame, Saint-Gervais, Arsenal apparition dans les rues. En 1898, une course de fiacres électriques est organisée. Quinze fourgons électriques du service postal circulent en 1904. La Compagnie parisienne de distribution d'électricité est créée le 1er janvier 1914.

La télégraphie sans fil tire profit de la tour Eiffel pour déployer son champ d'activité. En octobre 1898, Eugène Ducretet réalise la première liaison hertzienne jusqu'au Panthéon. La TSF et la tour Eiffel débutent une longue histoire commune. Cette nouvelle fonction assure à la « guitare du ciel » (Apollinaire) une seconde vie et une nouvelle concession, qui la sauve du démantèlement envisagé pour 1910. Autre moyen de communication : le téléphone est encore un instrument réservé à une élite. La Société générale du téléphone, puis le service des Postes-Télégraphes-Téléphones, ne compte que 60 000 abonnés en 1914. L'incendie du principal central (Gutenberg) le 20 septembre 1908 souligne d'ailleurs les dysfonctionnements du réseau. La place de ces innovations dans le quotidien des Parisiens est tangible lors des inondations spectaculaires de 1910. Aux conséquences immédiates des fortes crues de janvier et mars s'ajoutent la paralysie du Métropolitain, l'arrêt de la distribution de l'électricité, la coupure du téléphone…

Si cette catastrophe a perturbé leur vie, ce sont, depuis plusieurs mois, d'autres inquiétudes qui préoccupent l'esprit des Parisiens et des Français. Les tensions franco-allemandes dominent à nouveau la vie politique. Le 31 juillet 1914, café du Croissant, rue Montmartre, proche du siège de son journal *L'Humanité*, Jean Jaurès est assassiné. Le 2 août, Paris se couvre des affiches tricolores annonçant la mobilisation générale.

Chapitre V

D'UNE GUERRE À L'AUTRE
(1914-1944)

I. – **Paris au régime de guerre**

Les Parisiens apprennent la nouvelle de la mobilisation avec stupeur et consternation. En ces premiers jours d'août 1914, Paris est pourtant pavoisée comme pour un joli 14 juillet. Les jours de départ, dans les gares de l'Est et du Nord, l'élan patriotique et la volonté de reprendre l'Alsace-Lorraine animent la foule regroupée sur les boulevards et les quais. La statue de Strasbourg, place de la Concorde, est le lieu de rassemblements nationalistes et de promesses vengeresses. On chante *La Marseillaise*, *Le Chant du départ* ; on hurle : « À Berlin ! » ; on écrit, sur les wagons : « On les aura ! »

Paris est en guerre. Ses portes sont fermées de 18 heures à 6 heures. Le Métropolitain s'arrête à 19 h 30. Les restaurants, les cafés baissent leur rideau dès 20 h 30. De nombreux commerces et usines sont fermés. Le rationnement s'installe. Les réquisitions se multiplient (automobiles, bâtiments).

Devant l'avancée des armées allemandes, la ville reçoit d'importants renforts de troupes territoriales. Le 2 septembre, le gouvernement français quitte la capitale pour Bordeaux. Le lendemain, le général Gallieni, gouverneur militaire de Paris, s'engage résolument dans la défense de la ville.

« Les membres du gouvernement de la République ont quitté Paris pour donner une impulsion nouvelle à la défense nationale. J'ai reçu le mandat de défendre Paris contre l'envahisseur. Ce mandat, je le remplirai jusqu'au bout » (Gallieni).

Sur la Marne s'engage une bataille essentielle pour Paris (6-9 septembre). Par sécurité, les œuvres du Louvre partent pour Toulouse. Épisode célèbre : des centaines de taxis sont réquisitionnés pour transporter troupes et munitions sur le front. Les armées de von Kluck sont repoussées. Le 9 septembre, la capitale est sauvée.

Jusqu'au début de l'année 1918, Paris, c'est « l'arrière », éloigné du front stabilisé sur plus de 700 km de la mer du Nord à la frontière suisse. Une partie de la population a quitté la ville, qui compte désormais 1,8 million d'habitants, soit 63 % de la population de 1911. Les habitants subissent les bombardements des aéroplanes ennemis (Taube) puis les raids des zeppelins. Carrefour dans cette économie de guerre, la ville connaît un développement de plusieurs secteurs industriels. Les 13e, 14e, 15e et 18e arrondissements s'industrialisent. Ainsi, l'industrie automobile et d'armement (Citroën à Javel, Renault à Billancourt) fait un bond spectaculaire. Il s'agit de fournir des moteurs, des ambulances, des camions, des automitrailleuses, des obus…

Dès l'automne, le gouvernement retrouve ses ministères parisiens. La vie des écoliers recommence. La rentrée scolaire a lieu en octobre dans les collèges et lycées et en novembre dans les facultés. La presse est attentivement contrôlée : le service de la censure joue des ciseaux. La Bourse reprend ses cotations. De nouveaux spectacles sont à l'affiche. Il faut rendre à la ville sa vie culturelle et artistique, assurer des distractions et remettre au travail des milliers de salariés du spectacle. Les théâtres (Comédie-Française), l'Opéra-Comique, les salles de concert, les cinémas (le Tivoli et l'Omnia Pathé) rouvrent. De nombreuses revues et music-halls (Le Moulin-Rouge, Le Concert Mayol, l'Olympia, La Gaîté lyrique…) se mettent au service des campagnes patriotiques. Pour sa réouverture le 6 décembre, l'Opéra-Comique réserve

400 places aux blessés de guerre. Le programme est au service du moral des troupes et des civils : *La Fille du Régiment*, *Le Ballet des nations alliées*, des fragments de *Patrie*, la mise en scène du *Chant du départ* et de *La Marseillaise* avec Marthe Chenal, drapée de tricolore.

Le rationnement participe du quotidien. Le charbon est d'autant plus vite rationné que les principaux gisements sont occupés par les Allemands. Durant ces hivers très rigoureux, le conseil municipal essaie de soutenir les familles les plus modestes en vendant à prix très modique des milliers de tonnes. La carte de charbon est instituée en septembre 1917. Des limitations drastiques sont fixées pour la distribution du gaz et de l'électricité. Les produits de première nécessité sont sévèrement rationnés (pain, beurre, pommes de terre, sucre). Le pain est vendu douze heures après sa cuisson afin de limiter sa consommation. Le mardi devient jour sans viande. Le coût de la vie ne cesse de croître. Les grèves de 1916 et 1917, les revendications pour l'obtention d'une prime de vie chère témoignent du mécontentement des ouvriers de la capitale. La population, très affaiblie par ces privations, est aussi durement atteinte par les épidémies de typhoïde et de rougeole. Dès l'hiver 1917-1918, la grippe espagnole tue des milliers de Parisiens.

Au cours de ces années, les Parisiennes prennent progressivement la place des hommes partis au front. Elles occupent des fonctions dans les administrations, les transports, l'enseignement et, principalement, l'industrie de l'armement. Dans cette économie de combat, « si les femmes employées dans les usines s'arrêtaient vingt minutes de travailler, la France perdrait la guerre… » (Joffre).

En 1917, les nouveaux alliés sont annoncés par une campagne d'affiches (« Voilà les Américains ») représentant l'ombre imposante d'un soldat américain qui anéantit un soldat allemand sur le front occidental. Les Parisiens fêtent l'Independance Day. Le général

Pershing vient se recueillir (4 juillet 1917) sur la tombe de La Fayette.

Au début du printemps 1918, les troupes allemandes sont proches de la capitale. Depuis la forêt de Saint-Gobain, les obus tirés par la « Grosse Bertha », canon de 420 mm, créent un véritable sentiment de panique parmi les habitants. Ils mettent moins de trois minutes pour parcourir les 120 km qui les séparent du cœur de Paris. Le jour du Vendredi saint, le 29 mars, un obus fait 88 morts dans l'église Saint-Gervais. Le 16 avril, trois obus détruisent une partie de l'usine Schneider et provoquent la mort de 17 personnes. Le 6 juin, le Comité de défense du camp retranché de Paris est créé. Pour parfaire la défense, des canons sont placés sur la tour Eiffel et le mont Valérien. Deux toutes petites poupées, Nénette et Rintintin, font leur apparition, épinglées sur le col des vêtements. C'est le fétiche, le porte-bonheur protecteur des Parisiens contre les obus. Probablement plus efficaces, des sirènes sont installées dans les arrondissements pour annoncer le début des bombardements.

Le 10 novembre 1918, veille de la signature de l'armistice, les boulevards s'animent.

« Paris se retrouve sur les boulevards, de la Madeleine à la République. On va et vient, on s'interpelle, on attend une nouvelle, la nouvelle ; mais il est trop tôt, le délai imparti par Foch n'expire que le 11 à 11 heures. Des marchands passent avec des voitures à bras, proposant drapeaux et cocardes. L'éclairage public apparaît légèrement renforcé : le gouverneur militaire autorise depuis ce matin le "débleutage" des réverbères... »

Le 11 novembre, après 1 561 jours de guerre, Paris est dans la rue. Le conseil municipal proclame :

« Habitants de Paris,

« C'est la victoire, la victoire triomphante ; sur tous les fronts, l'ennemi vaincu a déposé les armes, le sang va cesser de couler.

« Que Paris sorte de la fière réserve qui lui a valu l'admiration du monde. Donnons un libre cours à notre joie, à notre enthousiasme ou refoulons nos larmes.

« Pour témoigner à nos grands soldats et à leurs incomparables chefs notre reconnaissance, pavoisons toutes nos maisons aux couleurs françaises et à celles de nos chers alliés.

« Nos morts peuvent dormir en paix… Pour eux comme pour nous, le "jour de gloire" est arrivé. »

La fin de l'année est une succession de manifestations populaires. Le dimanche 17 novembre, toute la population semble être présente sur les Champs-Élysées, en présence de Poincaré et Clemenceau, pour célébrer le retour de l'Alsace-Lorraine. Le 16 décembre, le président Wilson est reçu à l'Hôtel de Ville. Et, en 1919, la Fête nationale du 14 Juillet voit défiler, devant trois millions de personnes, un immense cortège composé de soldats alliés salués par les maréchaux Joffre, Foch et Pétain.

II. – Paris est une fête ?

La paix est d'abord le temps de la reconstruction. La ville accueille les démobilisés. La capitale est secouée par l'agitation révolutionnaire qui a gagné toute l'Europe. Contre la vie chère, le chômage, les manifestations, les grèves se succèdent. Tous les secteurs d'activités (habillement, transports, automobiles, bâtiments…) sont concernés. Le printemps et l'été 1919 sont caractérisés par une accentuation des conflits dans les usines (Panhard, Pathé). Le 1er mai 1919 est une journée d'affrontements entre manifestants et forces de l'ordre (deux morts). La CGT appelle à une grève générale le 21 juillet. Rapidement se pose le problème de la reconversion des ouvriers licenciés et des usines de guerre de la capitale. Ainsi, l'usine d'armement d'André Citroën à Javel donne l'exemple et sort désormais de ses chaînes les premières automobiles 10HP.

Les restrictions se prolongent, et la carte d'alimentation subsiste (trois jours sans charcuterie, 300 g de pain par foyer et par jour). L'inflation est une donnée nouvelle. En cinq années, les prix ont augmenté de près de 100 %. Avec le soutien du conseil municipal, le gouvernement fait installer les baraques dites Vilgrain (nom du secrétaire d'État chargé du Ravitaillement) qui proposent des produits 20 à 30 % moins chers.

Dans le domaine des transports urbains, les tramways et le Métropolitain se voient imposer une circulation au ralenti. Pour la première fois depuis l'ouverture de la ligne n° 1, le prix du ticket est en augmentation. En janvier 1919, d'importantes crues de la Seine paralysent encore davantage la vie des habitants. Le zouave du pont de l'Alma, indicateur officieux des Parisiens, a les mains mouillées. L'établissement de bains de la Samaritaine, péniche amarrée au Pont-Neuf, coule, victime d'une voie d'eau. Les gares d'Orsay et des Invalides ferment entre le 9 et le 12 janvier. La distribution de l'électricité est partiellement interrompue sur la rive gauche.

Les stigmates de la guerre ne s'effacent que lentement de la vie parisienne. Avec la signature du traité de Versailles (28 juin 1919), puis la grande Fête nationale du 14 Juillet 1919, qui rassemble des centaines de milliers de personnes sur les Champs-Élysées, Paris est une nouvelle fois à l'honneur. La ville est citée à l'ordre de l'armée et glorifiée par Georges Clemenceau :

« Capitale magnifiquement digne de la France. Animée d'une foi patriotique qui ne s'est jamais démentie, a supporté avec une vaillance aussi ferme que souriante de nombreux bombardements par avions et par pièces à longue portée. A, de 1914 à 1918, ajouté des titres impérissables à sa gloire séculaire. »

La fête ? Elle commence peut-être avec cet exploit fou de l'aviateur Védrines, qui se pose sur la grande terrasse des galeries Lafayette, remportant ainsi les 25 000 F de récompense offerts par le magasin. La fête de la bourgeoisie, des artistes, de la bohème..., c'est aussi celle des années 1921-1926 que décrit Ernest Hemingway (« Paris est une fête »). C'est le début de ces années folles qui courent tout au long des années 1920 (« Je me souviens de cette décennie comme d'un perpétuel 14 Juillet. Ce fut un âge tricolore », Maurice Sachs).

La fête parisienne est en tout premier lieu, voire parfois exclusivement, celle du « Tout-Paris ». Déraisons, dérisions, comme une nouvelle et profonde respiration après quatre années de conflit, quelques milliers de Parisiens dédient leur vie (parisienne) à la fête.

> « La nuit, toutes les nuits appartiennent à la danse. Depuis novembre et la fin du cauchemar, il faut danser, le pays tout entier est la proie de la dansomanie. Le roi du moment, c'est le saxo, Satan inoffensif qui conduit le bal. Partout des dancings, des jazz, du champagne, des femmes dont la robe commence aux seins et finit aux cuisses, des femmes coiffées en "cul de dinde" (dernier genre) et fumant sans relâche, bon gré mal gré, dans des porte-cigarettes longs de 25 cm… »

Plus populaire, la fête est également celle du cinématographe et des sports. Les réjouissances commencent avec la réouverture du cinéma *Max Linder* en mars 1919. Le septième art met à l'écran de nouveaux réalisateurs et des stars (Abel Gance, Louis Delluc, Marcel L'Herbier…). Charlot, Douglas Fairbanks, Roman Novaro ou Rudolf Valentino suscitent les rires et les passions. Le cinéma reçoit le don de la parole. Le sport participe à cette nouvelle existence parisienne : pratiques sportives, constructions d'équipements, intérêt pour les compétitions. La presse et la TSF se développent en promouvant les informations sportives. Des centaines de milliers de Parisiens attendent la nouvelle du match Georges Carpentier-Jack Dempsey. Grâce aux innovations de la TSF, la foule regroupée apprend quasi instantanément l'échec du Français.

Paris s'amuse aussi des créations du théâtre des Champs-Élysées (la *Revue nègre* et Joséphine Baker) et de la féerie des spectacles de Mistinguett au Moulin-Rouge. Les innovations artistiques de ces années ont lieu au théâtre du Vieux-Colombier (Jacques Copeau), à l'Athénée, à l'Atelier (Dullin, Copeau) ou à l'Opéra avec les balais de Serge Lifar. Le mouvement dada et le surréalisme font exploser la vie littéraire avec les textes d'André Breton, Philippe Soupault, Aragon…

Au *Bœuf sur le toit*, rue Boissy-d'Anglas, près de la Madeleine, se côtoient Jean Cocteau, Erik Satie, Raymond Radiguet *(Le Diable au corps)*, André Breton, Max Jacob…

« La musique nègre, les débuts du jazz, les premières hardiesses d'un nouveau style décoratif, le génie de l'improvisation casseuse de vitres, l'acceptation et même la recherche, par les jeunes artistes, d'une anarchie, en somme légitime en ce désarroi d'après-guerre, toute cette lave bouillonnante, scories et métaux précieux, s'échappe d'un étrange cratère et c'est *Le Bœuf sur le toit* » (G. Delamarre).

Montparnasse détrône Montmartre et les Boulevards. Le dernier chic, c'est *Le Jockey*, *Le Dôme*, *La Rotonde* et bientôt *La Coupole*. Ouvert en 1927, *La Coupole* est le rendez-vous des peintres, des poètes et du jazz. La bohème se vit en cette fin des années 1920 entre le boulevard Montparnasse et le carrefour Vavin.

« En ce temps-là, beaucoup de gens fréquentaient les cafés du carrefour Montparnasse-Raspail pour y être vus, et dans un certain sens ces endroits jouaient le rôle dévolu aujourd'hui aux "commères" des journaux chargées de distribuer des succédanés quotidiens de l'immortalité » (Ernest Hemingway).

« Jamais Paris ne fit montre de plus de puissance, ne fut si éblouissant que cette année-là, jamais il ne dégagea davantage d'énergie intérieure, resplendissant d'une abondante lumière : un rythme différent, plus véhément ébranle les rues, et celui qui jusqu'alors goûtait la respiration douce, nonchalante, de cette ville se trouve étonné et presque effrayé de sentir cette respiration maintenant vibrer chaude, passionnée, quasi fébrile. Quelque chose de New York, du tempo des Américaines s'est introduit dans les avenues : une lumière blanche et aveuglante se répand sur les rues bourdonnantes de monde, les affiches lumineuses sautent de toit en toit et les maisons sont ébranlées jusqu'à leur faîte par le grondement des automobiles. Les couleurs, les pierres, les places, tout rougeoie, tout scintille et brûle sous l'effet de cette vitesse nouvelle, jusque dans les vrombissants tréfonds du métro. Chaque nerf de cette ville étincelante tressaille, et la moindre fibre de votre corps se met à l'unisson » (Stefan Zweig).

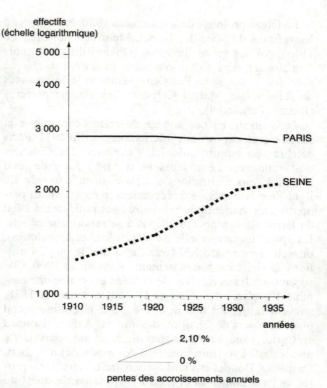

effectifs
(échelle logarithmique)

5 000

4 000

3 000 — PARIS

2 000 — SEINE

1 000

1910   1915   1920   1925   1930   1935
                                      années

2,10 %

0 %

pentes des accroissements annuels

Figure 4. – **Évolution comparative de la population de Paris et du département de la Seine entre 1911 et 1936**

D'avril à octobre 1925, de la Concorde au Cours-la-Reine, Paris fête l'Exposition internationale des arts décoratifs et accueille 16 millions de visiteurs. Dans le pavillon de l'Esprit nouveau, Charles Édouard Jeanneret, dit Le Corbusier, imagine une nouvelle périphérie parisienne composée de gratte-ciel à l'américaine et d'espaces verts, poumons de la ville. Le couturier Poiret impose son style. Les arts déco participent dorénavant du paysage parisien.

La fête se prolonge dans les années 1930. Paris reprend les refrains de Mireille, Trenet, Maurice Chevalier. La ville reçoit les grands jazzmen (Duke Ellington, Louis Armstrong). Les salles obscures rassemblent chaque soir des milliers de Parisiens venus voir les œuvres de René Clair, Marcel Carné ou les acteurs préférés (Raimu, Fernandel).

Paris abrite en ces années de crise économique et sociale deux expositions internationales. En 1931, Paris célèbre son empire colonial. Le musée des Colonies des architectes Léon Jaussely et André Laprade rend hommage aux réalisations françaises dans le monde. La ligne de métro n° 8 a été récemment inaugurée pour permettre aux visiteurs de rejoindre plus rapidement l'Est de Paris. Ils seront 33 millions à se rendre sur ce site. L'Exposition universelle de 1937 (Arts et techniques), ouverte avec retard le 24 mai, n'accueille que 34 millions de visiteurs, soit nettement moins qu'en 1900. Elle se situe sur les deux rives de la Seine et occupe une centaine d'hectares. Le palais du Trocadéro, datant de 1878, souvent raillé, est détruit (1936). Sur la colline prend place le palais de Chaillot, dessiné par Azéma, Boileau et Carlu, avec ses deux pavillons et son parvis. Le palais de Tokyo (futur musée d'Art moderne) d'Aubert, Dastugue, Dondel et Viard est construit. À partir du projet de Paul Langevin et Jean Perrin, la partie ouest du Grand Palais devient un palais de la Découverte pour les enfants… et les adultes. L'Expo abrite les pavillons de plusieurs pays. De chaque côté du pont d'Iéna se font face les symboles de l'Allemagne nazie (aigle et croix gammée) et de l'Union soviétique (faucille et marteau). Cette exposition se déroule au milieu de grèves qui paralysent le fonctionnement de la manifestation. Le 25 novembre, jour de la fermeture, le gouvernement, qui souhaitait faire de cette exposition un temps fort de la reprise économique, ne peut que prendre la mesure d'un bilan hautement déficitaire.

III. – **Population et réalisations**

À la fin du premier conflit mondial, la capitale compte 2,9 millions d'habitants (1921). Les trois recensements de l'entre-deux-guerres traduisent une légère baisse de la population : 1926, 2 871 000 habitants ; 1931, 2 891 000 habitants ; 1936, 2 829 000 habitants.

À l'intérieur de cet ensemble, les arrondissements du centre perdent 10 à 22 % de leur population. Le 2e arrondissement passe de 53 000 à 42 000 (moins 20,7 %) ; le 4e, de 91 000 à 71 000 (moins 21,9 %). Inversement, les arrondissements périphériques (13e, 14e, 15e, 19e, 20e) connaissent une augmentation sensible. Le 20e gagne 20 000 habitants, soit 11 %. À ce double mouvement s'ajoute un évident déséquilibre de population entre un 1er arrondissement qui, en 1931, regroupe 42 000 habitants et un 18e qui en rassemble 289 000. Inadéquation qui s'exprime fortement lors des élections municipales, puisque chaque arrondissement (jusqu'en 1935) élit le même nombre (quatre) de conseillers municipaux.

Les faibles taux de natalité de la démographie parisienne (16 ‰ en 1926, 11 ‰ en 1936) sont compensés par l'immigration. Le nombre des étrangers augmente dans la capitale. Fuyant les régimes dictatoriaux de l'Europe, Polonais, Russes, Italiens, Allemands viennent vivre à Paris.

Par la loi du 19 avril 1919, l'enceinte fortifiée de Paris est déclassée. La ville de Paris prend possession des terrains militaires des fortifications et de la zone de servitude *non aedificandi*. Les travaux débutent le 28 avril. Pendant l'entre-deux-guerres, la question de l'aménagement de la zone des fortifs est l'une des plus importantes et des plus cruciales pour la capitale. La surface totale de cet espace périphérique (400 m de largeur sur une circonférence de 30 km) est de 444 ha ; 127 ha sont réservés à des voies et des bâtiments militaires, au réseau de chemin de fer et à des administrations publiques. La ville se doit donc d'aménager 317 ha.

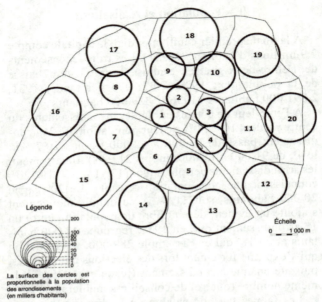

Figure 5. – **La population de Paris en 1936**

C'est ici le plus vaste chantier parisien pendant plus de vingt années. Il permet d'employer nombre des démobilisés, de construire un large boulevard et de répondre à l'une des exigences premières des Parisiens : se loger. La fin du moratoire sur les loyers (1918) a entraîné immédiatement des retards dans les paiements des locataires et de nombreuses expulsions.

Sur cette ceinture périphérique allant du 12e au 20e arrondissement, 38 000 logements sont bâtis. Il s'agit surtout d'HBM (habitats à bon marché) et de ILM (immeubles à loyers moyens), qui sont principalement construits avec le concours de l'Office public d'habitation à bon marché, créé en 1913. Ces grands immeubles de briques rouges ont entre six et huit étages. Composés d'appartements avec plusieurs pièces (cuisine, w.-c. et chambres isolées), ils représentent l'espoir d'une vie nouvelle pour les dizaines de milliers de familles obligées, par l'augmentation des loyers, de vivre dans des garnis. À cette politique immobilière s'ajoutent les aménagements liés à l'assainissement des îlots insalubres de plusieurs arrondissements (quartier Saint-Victor, Saint-Gervais, Clignancourt, Épinettes, Père-Lachaise…).

Au cours de ces deux décennies, plusieurs réalisations modifient le paysage parisien.

Le boulevard Haussmann, commencé en 1857, est achevé en 1927. Entre l'avenue Mozart et le Trocadéro, l'avenue Paul-Doumer, nom donné après l'assassinat du président de la République le 6 mai 1932, est ouverte en 1933. Les rives de la Seine sont retouchées : rehaussement des berges, suppression de l'écluse de la Monnaie, rénovation de la partie en amont de l'île de la Cité. Quant aux ponts de la Concorde, de la Tournelle, de l'Iéna, ils sont élargis. Quarante nouveaux squares sont ouverts au public.

Le projet de la cité universitaire, boulevard Jourdan, est conduit par l'architecte Lucien Bechmann. La construction débute en 1923. Destinée à accueillir les étudiants de province, des colonies et de l'étranger, la cité accueille tout d'abord le pavillon des étudiants allemands, canadiens, japonais. Les équipements sportifs se modernisent avec l'ouverture du stade Jean-Bouin (1929), le stade nautique des Tourelles (1924), la piscine de Molitor (1929). Le nouvel hôpital Beaujon est inauguré en 1935.

Les transports urbains connaissent plusieurs innovations. Les tramways disparaissent progressivement. En 1929, le conseil municipal programme leur remplacement par l'autobus. Le dernier tramway, le 123-124, reliant la porte de Saint-Cloud à la porte de Vincennes, cesse de fonctionner en mars 1937. Depuis 1921, la Société des transports en commun de la région parisienne (STCRP) succède à la Compagnie générale des omnibus. Le chemin de fer de la petite ceinture, si utile lors de l'Exposition universelle de 1900, cesse d'exister en 1931. La ligne d'autobus dite PC (Petite Ceinture) assure désormais ce circuit autour de la capitale.

Le réseau du métro se densifie. En 1920, il s'étend sur près de 95 km. Depuis 1916, les voitures fonctionnent avec des portes automatiques. En vingt ans, les lignes gagnent 67 km (159 km de long pour 14 lignes en 1939) et 130 stations (332 stations en 1939). Après les bénéfices financiers des années 1920, les deux sociétés (Métropolitain et compagnie Nord-Sud) font face à d'importants déficits d'exploitation. Pourtant, le nombre des voyageurs ne cesse de croître : 670 millions en 1927, 838 millions en 1933.

Dans les dernières années de l'entre-deux-guerres se pose, déjà, avec acuité la question de la coordination des différents transports en commun.

« Il s'agit d'amener, chaque matin, près de deux millions de personnes au lieu de leurs préoccupations, de les reconduire, chaque soir, à leur foyer et aussi d'assurer, pendant le jour, les déplacements qu'entraîne l'activité de la cité. Dans l'ensemble, le trafic moyen journalier dépasse cinq millions de voyageurs pour les seuls réseaux de surface et souterrains et 600 000 voyageurs pour les chemins de fer de banlieue » (G. Guillet, 1935).

Cette volonté conduit à la prolongation de plusieurs lignes de la compagnie du Métropolitain vers la banlieue : ligne n° 1 (fort de Vincennes), n° 9 (pont de Sèvres), n° 12 (mairie d'Issy).

La rupture (physique et mentale) entre Paris et sa banlieue commence à s'estomper. En 1928, le Comité supérieur de la région parisienne voit le jour. Pour répondre à la hausse du trafic automobile, la première section de la future autoroute de l'Ouest est mise en service (tunnel de Saint-Cloud-Rocquencourt).

Au nord de la capitale, depuis la fin de la guerre, l'aéroport du Bourget assure les liaisons avec Londres et Bruxelles.

En deux décennies, la vie quotidienne des Parisiens se modernise. L'électricité poursuit sa conquête de la ville. Depuis 1914, la Compagnie parisienne de distribution d'électricité a en charge la consommation de la capitale. La première commission internationale de l'éclairage se tient à Paris (1921). Entre la fin de la guerre et 1939, le pourcentage des logements parisiens abonnés à l'électricité passe de 19 % à 94 %. Le nombre des abonnés à la Compagnie du gaz de Paris est en constante augmentation (un million en 1934). Les écoles municipales éclairées jusqu'en 1918 avec du gaz sont en quinze années totalement équipées d'éclairage électrique. Magasins, ateliers de travail, monuments publics, la lumière électrique est partie prenante des activités de la ville. La Foire de Paris (1923), puis les Salons des arts ménagers vantent le « tout-électrique ».

Dans les appartements, le téléphone est encore un moyen de communication exceptionnel. Le nombre des abonnés (particuliers et entreprises) est de 250 000 à la veille de la Seconde Guerre mondiale. Service téléphonique supplémentaire, l'horloge parlante s'obtient en faisant Odéon 84-00. Le premier jour, le 14 février 1933, 170 000 appels sont enregistrés. La radio et la télévision se fraient un chemin encore très parisien. Le poste de radio devient peu à peu un élément central du foyer. En 1939, un demi-million de familles peuvent capter Radio-Paris, le Poste Parisien ou Radio-Cité. Depuis 1935, la télévision, contrôlée aussi par les PTT, offre un spectacle révolutionnaire à quelques centaines de privilégiés dans la capitale.

IV. – **Un Hôtel de Ville républicain et national**

La Première Guerre mondiale ne constitue pas réellement une fracture politique à Paris. L'évolution vers la droite, qui s'engage au début des années 1910, se confirme.

La vie politique parisienne renoue avec les grands débats d'avant-guerre.

Le Bloc républicain et national se réclame d'une double continuité : celle du Paris héroïque, rempart face à l'ennemi, et celle des majorités municipales d'avant-guerre (1909-1914). Le vote des Parisiens doit prolonger la victoire et permettre de reprendre l'œuvre des nationalistes. La gauche socialiste paraît renoncer à tout espoir de reconquête. Dénonçant l'inéquation suffrages-sièges et la surreprésentation des quartiers du centre de la capitale, le socialiste Le Troquer parle d'un suffrage censitaire parisien.

Deux semaines après les législatives, les municipales, marquées aussi par un fort taux d'abstention (36,1 %), voient le succès du Bloc national dans la capitale. Une union large, allant de Marie-Pierre-Fortuné d'Andigné à Ludovic Calmels, emporte 49 fauteuils au conseil municipal.

Les années 1920 et 1930 sont des années de grandes tensions politiques. Le Parti communiste français et les ligues d'extrême droite de l'Action française aux Jeunesses patriotes s'affrontent verbalement et physiquement dans les rues de la capitale. En 1925 et 1929, les élections municipales parisiennes donnent la majorité des sièges aux conseillers républicains nationaux (47 édiles en 1925, 52 en 1929).

Aux scandales financiers (Marthe Hanau, Albert Oustric) s'ajoute au tout début de l'année 1934 l'assassinat d'Alexandre Stavisky, affairiste qui avait bénéficié de l'appui de quelques parlementaires. Très rapidement, la capitale connaît une vive agitation de l'extrême droite qui dénonce la collusion entre le gouvernement et l'escroc. Cette campagne mobilisatrice multiplie les manifestations entre le Quartier latin et le boulevard Saint-Germain jusqu'aux abords du palais Bourbon. Le président du conseil, Camille Chautemps, démissionne le 28 janvier. Dès sa désignation, le nouveau chef du gouvernement, Édouard Daladier, renvoie le préfet de police de Paris, Jean Chiappe, suspect de complicité avec le conseil municipal et l'extrême droite parisienne. En signe de solidarité, Édouard Renard, préfet de la Seine, quitte ses fonctions. L'Hôtel de Ville est une nouvelle fois en effervescence. Un appel à manifester est lancé pour le 6 février.

Le 6 février 1934 est une de ces grandes journées parisiennes qui ont marqué l'histoire de Paris et de la France. L'espace, le théâtre des opérations, ne dépasse pas quelques milliers de mètres carrés entre la Concorde et l'Hôtel de Ville, les grands boulevards et le palais Bourbon. Carré magique où se retrouvent les principaux centres et pôles politiques de la République. À la Chambre des députés s'ouvre le débat sur l'investiture du nouveau cabinet dirigé par Édouard Daladier. La majorité du conseil municipal de Paris épaule les manifestants et soutient Jean Chiappe. La droite parisienne manœuvre depuis plusieurs semaines. Elle entend établir une pression assez efficace pour modifier les rapports de force politiques nés des élections législatives de 1932. En ce sens, l'Hôtel de Ville, bastion des idées nationales, est un évident « centre politique de la journée du 6 février ».

Le 7 au matin et le 8, la France découvre les réalités d'une nuit sanglante à la lecture des articles et surtout au travers des photographies nombreuses (visages blessés, corps allongés dans l'hôpital de fortune qui s'installe au sous-sol de l'Assemblée nationale) publiées par la presse nationale, provinciale et locale. Des clichés sur lesquels la nuit qui entoure les personnages ajoute un élément supplémentaire d'inquiétude. L'émotion est très forte dans tout le pays.

Le 7 au matin, Daladier, de plus en plus isolé, adresse à Albert Lebrun, qui a déjà engagé des démarches auprès de Doumergue, une lettre de démission. Le conseil municipal, les ligues et de nombreux dirigeants politiques ont atteint un de leurs objectifs : renverser le ministère. La pression des manifestations parisiennes a créé les conditions d'une démission gouvernementale. Le 8 février, c'est une manifestation d'enthousiasme de la droite parisienne qui accueille, gare d'Austerlitz, Gaston Doumergue, nouveau président du conseil.

Doit-on parler de complot, d'opération subversive, d'un coup de force, d'une menace fasciste sur les institutions de la République ?

La gauche socialiste et communiste répond séparément à ce qu'elle considère comme une menace fasciste. Elle désigne les principaux responsables : les « topazes » factieux du conseil municipal de Paris. Après la manifestation communiste du 9, la journée du 12 février est une réaction syndicale et politique. Communistes et socialistes manifestent dans des cortèges distincts avant de fraterniser place de la Nation.

Entre l'été 1934 et juillet 1935, le Front populaire se construit progressivement. En mai 1935, les élections municipales parisiennes préfigurent la victoire nationale des législatives d'avril-mai 1936. La campagne mobilise les hommes du 12 février contre ceux du 6 février. Paul Rivet est le premier élu municipal parisien du Front populaire. Il bat Georges Lebecq, conseiller sortant, président de l'UNC. Mais cette victoire symbolique ne doit pourtant pas cacher l'essentiel. La majorité municipale sortante est reconduite à la tête de l'Hôtel de Ville de Paris, et Jean Chiappe, candidat dans le 6e arrondissement, est élu et devient président du conseil municipal. Paris est solidement ancré à droite.

À Paris, le Front populaire est déjà fêté lors de l'imposante manifestation du 14 juillet 1935. Le grand rassemblement organisé à la Bastille, lieu symbole, réunit plus de 500 000 sympathisants. Les élections législatives traduisent un mouvement favorable à la gauche dans les arrondissements de la capitale. Elle remporte 27 sièges sur les 41. La capitale vit ce printemps et cet été 1936 au rythme de l'enthousiasme né de la victoire, des négociations de l'hôtel Matignon et des grèves massives (grands magasins, transports, construction automobile, bâtiments...).

En 1937, le Front populaire se disloque. Les grèves se suivent. L'Exposition universelle paie durement cette situation sociale. Les tensions internationales grandissantes sont symbolisées par la présentation dans le pavillon de l'Espagne républicaine du tableau de Picasso *Guernica*. Face aux coups de force hitlériens, l'opinion publique se divise. L'accueil de Daladier au Bourget ne doit pas occulter l'existence d'un mouvement anti-munichois. Les Parisiens perçoivent les prémices de la guerre. Le 2 février 1939, un mouvement grandeur réelle de défense passive se déroule dans la capitale. En mars, les premiers masques à gaz sont distribués à la population civile, les emplacements des abris (squares, caves) en cas d'attaques aériennes de l'ennemi sont affichés. La guerre est déjà dans les esprits.

V. – **L'Occupation (1940-1944)**

Pendant près d'une année, la capitale vit à l'heure de la drôle de guerre. Le 31 août 1939, les enfants sont évacués. Avec bérets ou casquettes et une petite valise, 30 000 gamins quittent leur quartier pour se réfugier en province loin des dangers des bombardements. L'évacuation concerne aussi les pièces des musées. Les châteaux de la Loire et des abbayes abritent pendant cinq années tableaux, livres, statues... De nombreux monuments sont invisibles, recouverts de sac de sable. La ville se protège alors que les Parisiens entre peur et insouciance cherchent à se distraire dans les music-halls, les cinémas ou les théâtres.

« De septembre 1939 à juin 1940, un certain Paris a vécu comme si rien ne s'était passé ; les courses reprennent, théâtres, cinémas, cafés, dancings, cabarets, spectacles, tout fonctionne comme avant. Dans ce domaine, il n'y a aucun rationnement. Le cinéma est plus accessible que le théâtre aux bourses modestes. L'hiver, on y bénéficie d'un minimum de chauffage. Il n'y a donc jamais eu autant de public que durant la guerre et l'Occupation… Peut-être que, par réaction contre la gravité de la situation, se manifeste un certain optimisme superficiel, parfois teinté d'humour, qui s'exprime dans plusieurs chansons populaires à succès : Dans la vie faut pas s'en faire, Tout va très bien madame la Marquise… »

Dès le début de l'attaque (10 mai 1940), les armées nazies se rapprochent de Paris. Les tirs de DCA, les bombardements des usines Citroën (3 juin), l'arrivée en masse de réfugiés : la ville est en alarme.

Le 10 juin 1940, dans la panique, le gouvernement quitte la capitale. Le 12, les petites affiches signées par le général Dentz annoncent : Paris est déclarée ville ouverte. Le 14, l'armée nazie entre dans la capitale de la France. Cavaliers, fantassins, automobiles blindées, tanks, l'Occupation commence. Ce même jour, Thierry de Martel, grand professeur de médecine, se suicide, refusant de vivre sous la botte nazie (« Je ne peux pas », écrit-il avant de se donner la mort). Le 24 juin, Hitler arrive au Bourget. Une visite courte, moins de trois heures, où il met en scène, photographié et filmé sur la terrasse du palais de Chaillot, son triomphe.

Paris perd son statut de capitale. Philippe Pétain, successeur de Paul Reynaud à la présidence du conseil (16 juin), signe l'armistice le 22 juin. Il installe son gouvernement à Vichy et, le 10 juillet, obtient les pleins pouvoirs des chambres. Paris commence à vivre à l'heure allemande (il faut ajouter une heure) et aux ordres de l'occupant. Elle est placée sous le commandement nazi de la zone occupée *(Militärbefehlschaber in Frankreich)*. Les drapeaux à la croix gammée flottent sur la ville qui a dû retirer tous les drapeaux tricolores. Le couvre-feu entre en vigueur de 21 heures à 5 heures du matin. Les soldats allemands sont omniprésents. Chaque jour, la parade de la relève de la garde sur l'avenue des

Champs-Élysées est l'affirmation de la domination de l'occupant et une humiliation pour les Parisiens.

« Pas un Allemand ne peut se vanter d'avoir connu Paris entre le 16 juin 1940 et le 19 août 1944. Oh ! certes, ils étaient là, les vainqueurs, en leur tenue *feldgrau* bien ajustée… Tous les jours, à heure fixe, le long des Champs-Élysées, précédée d'un officier à cheval et d'une grosse caisse, une compagnie de leurs guerriers automates l'affirmait d'un pas mécanique : nous sommes là. Et les drapeaux à "l'araignée gorgée de sang", et les *Soldatenheim* et les *Soldatenkaffee* et les *Soldatenkino*… Ils étaient là… Mais Paris était absent. Notre-Dame gardait la Cité, la Seine déroulait son ruban soyeux sous les ponts chargés d'Histoire, entre les quais ornés de leurs boîtes immuables. Du château de Vincennes au palais de Chaillot, du Panthéon au Sacré-Cœur, les hauts lieux poursuivent leur silencieux dialogue, témoins de tant de joies et de tant de tristesse, de tant de gloires et de tant de revers, se patinaient un peu plus de la nouvelle infortune. Et pourtant Paris était absent, comme recouvert d'un masque mortuaire, telle une femme condamnée à subir la brute qui la souille à loisir, l'âme envolée vers un lointain amour » (Adrien Dansette).

Durant quatre années, la vie est faite de restrictions et de débrouillardises pour manger. La carte de rationnement fait son apparition en septembre 1940. Les tickets, les coupons constituent des biens précieux pour obtenir nourriture, vêtements, tabac, charbon. Les files d'attente devant les boulangeries, les boucheries sont le lot quotidien. À côté de ce circuit officiel, le marché noir s'organise. Inversement, le soldat allemand bénéficie d'un taux de change (le mark est à 20 F) qui lui assure une vie facile.

Depuis juin 1940, les séances du conseil municipal de Paris sont suspendues. L'occupant renforce les pouvoirs des deux préfets. En décembre 1941, Vichy compose une nouvelle assemblée municipale. La première séance présidée par Charles Trochu se déroule le 12 janvier 1942. En avril 1943, la présidence revient à Pierre Taittinger.

Dans la capitale, les nazis poursuivent leur politique antisémite. Les Juifs sont persécutés : exclusion professionnelle, lieux interdits, port de l'étoile jaune. En liaison avec la police française, les rafles des 16 et 17 juillet sont effectuées dans toute la ville. Regroupés au Vel'd'Hiv, des milliers de Juifs sont envoyés vers les camps de concentration. Dès le 11 novembre 1940, par une manifestation à l'Arc de Triomphe, des étudiants organisent la résistance à l'occupant. Plusieurs groupements et réseaux combattent la collaboration et s'attaquent à l'armée d'occupation : attentats individuels, presse clandestine, inscription sur les murs. En mai 1943, rue du Four, sous l'autorité de Jean Moulin, le Conseil national de la Résistance tient sa première réunion. Le Comité parisien de libération (CPL) est créé en septembre 1943. « Le CPL comprend des organisations qui ne sont pas représentées au Conseil national de la résistance, souvent d'inspiration communiste (Assistance française, Forces unies de la jeunesse patriotique, Union des femmes françaises, Comités populaires…). Cela permet de comprendre les oppositions qui surgissent, dès la période de la clandestinité, entre le pouvoir gaulliste et le CPL qui, après la Libération, devra exercer les fonctions de conseil municipal de Paris et sera donc installé à l'Hôtel de Ville, lieu emblématique des révolutions de 1830, 1848 et de 1870. » Dans la guerre aérienne qui oppose les alliés aux nazis, la capitale et la banlieue sont souvent bombardées. Dans la nuit du 20 au 21 avril 1944, les raids alliés et les « tapis de bombes » sur la gare de la Chapelle (18e) provoquent 650 morts et détruisent des centaines d'immeubles. Afin d'assister aux obsèques de ces victimes, le maréchal Pétain se rend pour la première fois à Paris. Le 26 avril, devant l'Hôtel de Ville, plus de 500 000 Parisiens l'ovationnent. La nouvelle du débarquement du 6 juin est rapidement connue par la population parisienne. Le 28, Philippe Henriot est assassiné par le CPL. Parallèlement à l'avancée des troupes alliées, les mouvements de grèves ordonnés par la résistance parisienne paralysent les chemins de fer, les postes et la police. Le 19 août, les

FFI, le CNR et les CPL lancent le mot d'ordre d'insurrection de la capitale. Les bâtiments publics sont occupés, des barricades dressées (« Toute la population doit, par tous les moyens, empêcher la circulation de l'ennemi. Abattez les arbres, creusez les fossés antichars, dressez des barricades. C'est un peuple vainqueur qui recevra les Alliés »).

En effet, lorsque la division Leclerc entre dans Paris, le 24 août, les Parisiens ont en partie libéré leur capitale. Le 25, le général von Choltitz signe la capitulation allemande. Le général de Gaulle arrive le 26 août à l'Arc de Triomphe. Paris est en liesse…

Chapitre VI

LE RAYONNEMENT D'UNE MÉTROPOLE
(1944-2013)

I. – La libération de Paris

Dès le 22 août 1944, les nouveaux titres de la presse parisienne (*Libération*, *Combat*, *Le Parisien libéré…*) résonnent déjà comme des gages de la victoire à venir. La division Leclerc se dirige vers les portes de Paris.

« Dans cet immense décor de pierres et d'eaux, tout autour de ce fleuve aux flots lourds d'histoire, les barricades de la liberté, une fois de plus, se sont dressées » (A. Camus, *Combat*, 22.08.1944).

Le 24, un message lancé d'avion annonce l'arrivée imminente des troupes françaises (« Le général Leclerc me charge de vous dire : "Tenez bon, nous arrivons", lieutenant-colonel Crespin »). Parallèlement, les relais avec le téléphone permettent aux Parisiens d'être informés sur l'avance des Alliés. Le soir, le capitaine Dronne entre dans la ville avec trois chars – le *Champaubert*, le *Montmirail*, le *Romilly* – et rejoint l'Hôtel de Ville. Une délégation est reçue par les membres du CNR et du Comité parisien de la Libération. Les cloches de Notre-Dame, du Sacré-Cœur et de Saint-Sulpice retentissent. Nuit d'espoir, mais aussi derniers gestes (incendie du Grand Palais, tirs de DCA intenses, destructions de matériels) de l'occupant. Au matin, la capitale s'habille des couleurs tricolores pour fêter la 2ᵉ division blindée de Leclerc qui entre par la porte d'Orléans. Le général installe son QG à la gare Montparnasse. L'hôtel

Meurice, qui abrite le gouverneur de Paris von Choltitz, est encerclé et envahi par les soldats du général Billotte. Dans l'après-midi du 25 août, en présence du colonel Rol-Tanguy, dans le PC de Leclerc, le général von Choltitz signe l'acte définitif de la reddition allemande avec cessation des combats par toutes les troupes nazies. Plusieurs affrontements meurtriers se déroulent encore pendant quelques heures (palais Bourbon, École des mines, ministère de la Marine, hôtel Crillon). Ce même jour, de Gaulle fait son entrée dans la capitale. Il retrouve son bureau de juin 1940 au ministère de la Guerre, rue Saint-Dominique. À l'Hôtel de Ville, il prononce son premier discours.

« Il y a là des minutes, nous le sentons tous, qui dépassent chacune de nos pauvres vies. Paris, Paris outragé, Paris brisé, Paris martyrisé, mais Paris libéré. »

Le 26 août 1944, la ville, la capitale retrouvée, semble tout entière dans les rues pour vivre ces heures de libération.

L'Arc de Triomphe, les Champs-Élysées, Notre-Dame… De Gaulle est salué par une foule immense – « la mer », selon l'expression des *Mémoires de guerre*. Les images de cette journée, ce sont ces visages joyeux d'enfants, de femmes et d'hommes, les ovations lancées vers l'homme du 18 juin, les larmes chaque fois que retentit *La Marseillaise*, mais aussi les dernières salves tirées par des miliciens embusqués sur les toits de la rue de Rivoli ou près de la cathédrale de Paris. Dans la soirée, les bombes de la Luftwaffe frappent plusieurs quartiers.

« Les rapaces s'enfuyaient vers l'est, couvrant encore de leur ombre rouge la ville en feu. L'aigle allemand lâchait enfin la proie qu'il avait tenue quatre ans entre ses serres sans avoir réussi à tuer ni son corps ni son âme. »

Les Parisiens vont continuer pendant de longs mois à connaître les privations. L'impopularité des services du

Ravitaillement et de Paul Ramadier est notée dans les premières enquêtes d'opinion de l'IFOP. Le Comité de libération parisien intervient pour dénoncer ces pénuries. Jusqu'en 1949, les files d'attente, les tickets de rationnement sont encore le lot de la vie quotidienne. Le décret du 14 mai 1947 établit cinq catégories de consommateurs. La carte de pain est supprimée le 1er novembre 1945, puis rétablie à la fin de décembre. Il faut attendre février 1948 pour que la vente du pain soit libre. En mai 1949, le rationnement concerne encore le café, l'huile, le riz et le sucre. Ce n'est qu'au tout début des années 1950 que s'achève le temps des pénuries.

Paris retrouve progressivement la fête et renoue avec la liberté. L'esprit novateur s'exprime dans plusieurs secteurs. Le premier numéro du quotidien *Le Monde* paraît le 18 décembre 1944. Les Nouvelles Messageries de la presse parisienne, dont le rôle est si important dans l'ensemble du pays, naissent le 2 avril 1948. Le musée d'Art moderne ouvre (juin 1947). En mars 1945, *Les Enfants du Paradis* (Carné et Prévert) sont à l'affiche des grands cinémas de la capitale. Dans ce renouveau cinématographique, N. Védrès présente le 25 janvier 1948 un montage d'archives intitulé *Paris 1900*. Mais c'est à Cannes qu'est inauguré le festival du cinéma en 1946. Consolation : le 3 octobre 1946 s'ouvre le Salon de l'auto de Paris. La 4 CV Renault est présentée comme la voiture populaire. Et la capitale accueille au Grand Palais le premier Salon de l'enfance (1949).

Dans le Paris de l'après-guerre, la jeunesse et l'existentialisme ont investi les lieux et places de Saint-Germain-des-Prés : le *Café de Flore*, *Les Deux-Magots*, la brasserie *Lipp*, les caves, *Le Tabou*. La musique de Sydney Bechet, la trompette de Boris Vian, le be-bop, le jazz au club de la Rose Rouge, les frères Jacques, Juliette Gréco animent les nuits du quartier. La presse à sensation dénonce ces zazous de la Libération. La revue *Les Temps modernes* née en 1945 réunit Sartre,

Simone de Beauvoir, Michel Leiris. À la Sorbonne (1946), Sartre fait une conférence sur « la responsabilité de l'écrivain ». Ses pièces (*Morts sans sépulture* et *La Putain respectueuse*) font scandale au théâtre Antoine.

Les existentialistes parisiens sont objet de plaisanterie (« Il paraît qu'un cycliste anonyme manquant de renverser Beaufret dans la rue lui a crié : "Eh, va donc, existentialiste !" et qu'à la radio même les chroniques sportives commencent par des badinages sur l'existentialisme », S. de Beauvoir) et d'articles dans la presse à scandale.

Paris renaît et fête en 1951 son Histoire. Pour son deuxième millénaire, le parc de Bagatelle rassemble les maires des plus grandes cités de la planète. *Les Cahiers d'art et d'amitié* consacrent un numéro spécial à la gloire de Paris célébré par les poètes et les écrivains :

« Ô Paris, deux mille ans d'immortelle jeunesse !
Tu naquis de ton île de sable, en tes yeux
L'eau pâle de la Seine, avec de longs cheveux
De brume où se berçaient les roseaux de Lutèce. »

II. – **Réorganiser l'espace. Un Grand Paris ?**

L'après-guerre marque une légère augmentation de la population parisienne. La ville retrouve des chiffres proches du dernier recensement de 1936. Le nombre d'habitants est de 2 725 000 (1946) et atteint les 2 850 000 en 1954. La même année, 135 000 étrangers vivent dans la capitale, principalement des Algériens, Marocains, Italiens et Espagnols. Dès le milieu de la décennie 1930, la diminution régulière de la population est sensible. On note les premiers indices de ce phénomène entre 1954 et 1962 avec une baisse annuelle de 0,3 % puis une accélération (1,2 %-1,7 %) entre 1962 et 1975. Paris ne profite que partiellement du baby-boom qui caractérise la démographie française. La première ville française compte 2 753 000 habitants en 1962, soit une perte de près de 100 000 habitants, et passe sous la barre des

2,3 millions en 1975. Depuis la fin des années 1970, la population s'est stabilisée autour de 2,1 millions (2 168 000 en 1982, 2 152 000 en 1990).

Au lendemain du second conflit mondial, la priorité est toujours au logement. La nostalgie d'un Paris village ne doit pas occulter l'insalubrité de nombreux quartiers de la capitale. Au moment où Le Corbusier dessine les plans de Marseille, la capitale doit engager une politique visant à supprimer les taudis existants dans ses arrondissements et les bidonvilles de la périphérie. La crise du logement de l'entre-deux-guerres n'a pas été réglée. Le parc immobilier se caractérise par la vétusté des logements, dont un bon nombre a été construit avant 1871 (35 % en 1954), et par l'absence de projets de construction. En 1954, 81 % des logements n'ont pas de salle de bains ; 55 % pas de w.-c.

« La population parisienne augmentait de quelque 50 000 personnes par an (379 000 habitants de plus entre 1946 et 1954), alors que l'ancienne population était déjà très mal logée et que les immeubles avaient été négligés pendant vingt-cinq ans, puis laissés à l'abandon durant le conflit. Cent mille logements, dans la capitale, étaient insalubres ; 90 000 garnis, déclarés inhabitables, étaient encore habités. La moitié, presque, des logements parisiens se trouvait dans des conditions déplorables : pas de w.-c., pas de salle de bains. La tuberculose continua ses ravages au lendemain de la guerre : sur 100 000 personnes, elle en tuait chaque année 33 dans le quartier des Champs-Élysées, 142 en moyenne dans les divers quartiers de Paris, mais 877 parmi les locataires des hôtels meublés. »

Là où l'espace est encore libre, le plus souvent aux abords des gares, à la périphérie de la ville, vivent, dans des assemblages de tôles et de bois, les familles les plus pauvres. La loi du 1er septembre 1948, présentée par Eugène Claudius-Petit, ministre de la Construction, tente de contrôler le marché immobilier. À partir des années 1950, les HLM (habitations à loyers modérés, loi du 21 juillet 1950) commencent à sortir de terre. Sous le ministère Claudius-Petit et Courant, le nombre des constructions de logements s'accélère. La Caisse des dépôts participe à cet effort national.

En fait, l'obtention d'un logement demeure pour les familles une épreuve difficile. Les conditions climatiques de l'hiver 1953-1954 révèlent de manière dramatique la situation des sans-logis. L'abbé Pierre mène campagne et héberge des centaines de familles dans des campements sous tente. Le 23 mars 1954, l'organisation Emmaüs est créée. Le décret de 1953 fixe le 1 % pour le logement : obligation faite aux entreprises de plus de dix salariés de consacrer 1 % de la masse salariale dans la construction de logements. Sur la périphérie de la ville, des zones d'aménagement concerté (ZAC) sont implantées (quartier de la Glacière, secteur du vieux Vaugirard). La capitale découvre les immeubles de plusieurs dizaines d'étages (barre, tour). Rue Croulebarbe (13e) s'élève en 1961 le premier gratte-ciel, haut de 67 m.

Mais, au regard de l'accroissement de population de cette période, la demande est forte et dépasse nettement l'offre. Pour se loger, un nombre de plus en plus grand de Parisiens quitte son quartier pour la banlieue. Hors de la capitale, les grands ensembles se multiplient : ainsi Sarcelles (1954).

Dans cette organisation de l'espace, l'État tente d'intervenir davantage. Jacqueline Beaujeu-Garnier note, justement :

« On conçoit qu'il fût impossible de laisser faire. La ville avait besoin d'être assainie et modernisée ; l'agglomération, disciplinée ; la région, freinée dans son dynamisme dévorant. Freiner et discipliner : tels devaient être les maîtres mots de la décennie qui s'ouvrait… Parallèlement aux mesures prises pour freiner l'expansion jugée trop rigoureuse de la région parisienne était préparée une réorganisation interne destinée à discipliner la "pagaille" qui y régnait et qui menaçait encore de s'accroître jusqu'à rendre la vie impossible. La poussée d'urbanisation régionale était lourde de conséquences : une partie centrale bourrée et qui débordait largement sur la périphérie ; une banlieue livrée au hasard de la spéculation. Il fallait réagir. »

Ces débats et ces prises de décisions ont lieu dans un contexte marqué par la publication du livre de Jean-François Gravier, *Paris et le désert français* (1947).

La capitale subit très rapidement les effets d'une politique de déconcentration. La ville connaît une notable désindustrialisation. Plusieurs grandes entreprises (Citroën, Say, Panhard, Snecma) abandonnent les arrondissements périphériques où elles s'étaient implantées. La loi de 1955 fait obligation aux industriels d'obtenir un accord gouvernemental pour toute construction supérieure à 500 m². Cette désindustrialisation court sur les décennies 1950 et 1960. Cinq millions de mètres carrés de surfaces industrielles sont détruits. Ce bouleversement dans le paysage urbain touche particulièrement les 13e, 15e, 19e et 20e arrondissements. Les nouvelles constructions (bureaux, commerces, banques) façonnent une autre carte des activités.

« L'équilibre global entre destructions et constructions nouvelles est presque parfait, mais le réaménagement proposé dessine une nouvelle répartition des activités dans Paris, qui renforce les anciens clivages que les bouleversements haussmanniens avaient contribué à accentuer. Les "beaux quartiers" de l'Ouest parisien (8e, 16e et 17e arrondissements) concentrent plus du tiers de la surface nouvelle offerte aux bureaux privés, un cinquième seulement de nouveaux locaux de services publics, un vingt-cinquième de nouveaux locaux industriels. Le centre ancien offre plus de surface nouvelle que de locaux détruits, mais il se désindustrialise très rapidement, en particulier sur la rive gauche… Enfin, la vocation industrielle de Paris n'est confirmée que dans la partie nord-est de la capitale, du 18e au 20e arrondissement, le seul ensemble où les nouvelles constructions industrielles sont presque comparables aux suppressions et où la part des bureaux et service est maintenue à un niveau très bas » (Maurice Garden).

Paris conserve les activités de direction et de haute technicité et devient « le centre de gestion des affaires françaises » (Pierre George).

Concomitamment, les réponses aux problèmes de la capitale sont de plus en plus fréquemment replacées dans un cadre plus large qui prend en compte les rapports entre Paris et la banlieue, Paris et la province. L'État intervient de plus en plus dans le contrôle de la région parisienne afin de rééquilibrer la place de la capitale dans l'ensemble France. Résumant cette nouvelle donne nationale et parisienne, Marc Ambroise-Rendu a cette jolie formule : « Un pied sur le frein pour Paris, un autre chatouillant l'accélérateur pour la province, telle sera durant trente ans la conduite de ceux qui prônent l'aménagement du territoire. »

Dans ces décennies 1950 et 1960, au regard de sa population et de son dynamisme, Paris est la seule grande ville française à avoir une dimension européenne. À titre de simple comparaison, l'Allemagne de l'Ouest compte alors plusieurs cités d'un million et plus d'habitants (Hambourg, Munich, Francfort…). L'échelle des réponses aux problèmes du logement, des transports, dépasse la ville pour englober les départements de la Seine et de la Seine-et-Oise. Le projet Prost de 1932 (aménager la région parisienne) est remis sur les rails. Le PADOG (plan d'aménagement et d'organisation générale de la région parisienne), impulsé par M. Gibel, devient réalité en août 1960. Le district de Paris est créé en 1961. Sa direction est assurée par Paul Delouvrier, délégué général, nommé par le gouvernement. Cet établissement public bénéficie d'une autonomie financière. Sa mission est considérable, puisqu'il lui faut organiser l'aménagement et l'équipement de toute la région. En 1964, sept départements sortent d'un découpage de l'ancienne Seine et Seine-et-Oise. Cette loi du 10 juillet 1964 fait de Paris une municipalité et un département et porte en germe la question du futur statut de Paris (1975).

Le schéma directeur d'aménagement et d'urbanisme de la région de Paris est établi en 1965. Il privilégie deux grands axes de développement (sud-est, nord-ouest) et propose la création de villes nouvelles situées à une distance de 25 à 50 km de la capitale.

Dans le domaine des transports, la nouvelle donne (la forte croissance de la population de la banlieue et la stagnation de la population de Paris) impose d'importantes modifications. À la fin des années 1960, le Val-de-Marne, les Hauts-de-Seine et la Seine-Saint-Denis comptent une population supérieure à 3,1 millions d'habitants. Depuis 1948, la Régie autonome des transports parisiens, entreprise nationalisée, gère l'ensemble des moyens de transport urbains. Le réseau RER (Réseau express régional) établit le lien entre le métro et le chemin de fer. La coupure banlieue/Paris s'estompe ainsi. Les travaux durent huit années (1961-1969). La première ligne relie Nation à Boissy-Saint-Léger avec de nouveaux tickets magnétiques.

Sur ce canevas parisien, la question de la place de l'automobile est de plus en plus aiguë. En 1957, la construction du boulevard périphérique s'engage. Le premier tronçon (40 km), depuis la porte d'Italie (autoroute du Sud), est ouvert en 1960. La boucle autour de Paris est terminée en avril 1973. De 1964 à 1968, les berges de la rive droite sont aménagées en vue de la création d'une voie express. Le projet à l'identique prévu sur la rive gauche est arrêté en 1974.

Chacune de ces transformations participe en premier lieu au développement de Paris et conduit à s'interroger sur la réalité de l'intégration de la capitale dans la région Île-de-France. Dans ce dernier quart du siècle, Paris entre davantage dans les habits d'une métropole européenne devenant le pôle de décisions et de gestions, cœur des relations et des échanges humains, économiques, financiers. En ce début de XXIe siècle, le développement de la région capitale est à l'ordre du jour de l'action gouvernementale. La conception d'un « Grand Paris » s'établit à partir de quelques chiffres. Une capitale de 105 km² entourée par le périphérique. Une petite couronne de 762 km² avec 6,4 millions d'habitants. Rappelons que le « grand Londres » compte 1 580 km² et près de

7,5 millions d'habitants. Ce débat naissant (renaissant) sur une structure métropolitaine conduit à une large réflexion (transport, logement, environnement...) sur l'organisation touchant tant l'économique, le social que le politique.

III. – Un maire pour Paris

Pendant ce demi-siècle, Paris n'a pas cessé d'être un acteur de la vie politique française et un agitateur d'idées. En 1947, les tensions intérieures liées au renvoi des ministres communistes par Ramadier touchent la capitale. Les nombreuses grèves de l'automne 1947 perturbent le quotidien des habitants. Au plus fort de ce mouvement, le 1er décembre, Paris est privée d'électricité. Le trafic du métro est interrompu pendant quelques heures. La guerre froide se vit aussi dans les rues de la capitale. Le 11 novembre 1948, de violents affrontements opposent les militants communistes et la police. Les deux organes de la presse communiste (*L'Humanité* et *Ce soir*) sont interdits de parution. Dans cette bataille entre partisans de chaque bloc, le Salon d'automne présente en septembre 1948 un tableau de Fougeron, *Parisiennes au marché*, qui se veut la première contribution française au réalisme socialiste. Après l'opposition du PCF à la visite du général Eisenhower (janv. 1951), la venue du général Ridgway entraîne d'importantes échauffourées (un mort, plusieurs centaines d'arrestations).

« Pour le Parti communiste, Paris reste ce maillon essentiel dans une chaîne du Progrès que tous les progressistes, de la politique, de l'Idée comme de l'art, doivent défendre et illustrer. C'est à Paris que se livrent les combats idéologiques et politiques contre l'impérialisme américain et le colonialisme, et pour la paix ; c'est à Paris que se mettent en scène les débats esthétiques essentiels autour du nouveau réalisme en art. Le Parti communiste adhère et participe à ce mythe fondateur de Paris dont il se veut l'illustrateur, héritier des communards et des Lumières aussi bien que des prophètes romantiques. »

En 1958, le général de Gaulle choisit symboliquement la date du 4 septembre et la place de la République pour lancer la campagne du référendum. Devant un décor dressé par André Malraux, il présente aux Parisiens son projet de constitution pour la France. Durant les derniers mois du conflit algérien, la vie des Parisiens est marquée par les attentats de l'OAS et de grandes manifestations. Le 8 janvier 1962, l'appartement de Sartre est détruit par une charge de plastic ; le 17, une série d'attentats secoue la capitale. Le 17 octobre 1961 et le 8 février 1962 (métro Charonne), la répression contre les manifestations d'Algériens et anti-OAS fait plusieurs dizaines de morts.

Dans les années 1960, plusieurs événements font l'actualité de la capitale et des Parisiens. La ville reçoit la visite des grands de la planète : M. K... (mai 1960), John Kennedy (juin 1961). Et, en octobre 1969, la cité fête les héros de l'expédition Apollo (Armstrong, Aldrin et Collins). En ces années twist, Paris est le théâtre du grand rassemblement des copains, place de la Nation, dans la nuit des 22 au 23 juin 1963. Cette soirée gratuite organisée par la radio Europe n° 1 et le magazine *Salut les copains* regroupe plus de 200 000 jeunes Parisiens et de la banlieue. Moments d'émotion dans la capitale en octobre 1963 lors des obsèques d'Édith Piaf au cimetière du Père-Lachaise. Quant au héros de l'année 1967, c'est un pharaon : Toutankhamon attire 1,2 million de visiteurs au Grand Palais.

En 1968, de la rue Gay-Lussac à l'Odéon, de la Sorbonne aux Champs-Élysées, les journées du mois de mai ont un décor très parisien. Après un premier acte dans les bâtiments de la jeune université de Nanterre, le mouvement des étudiants se déroule (jour et nuit) dans les rues, les boulevards, les théâtres de la capitale. Dès le 2 mai, l'agitation étudiante gagne le Quartier latin. Les défilés, les barricades, les affrontements avec les CRS rythment la vie de Paris. Dans la nuit du 10 au

11 mai, les dégâts sont considérables dans plusieurs rues. La grève générale du 13 mai, dix ans après l'arrivée du général de Gaulle, s'accompagne d'un défilé imposant dans les grandes artères de la ville. Ce même jour, la Sorbonne et l'Odéon sont occupés. Et c'est en quittant Paris, et la France, que le chef de l'État parvient à créer un choc dans l'opinion publique. Son allocution radiodiffusée du 30 mai se conjugue avec une importante manifestation de ses partisans entre la Concorde et l'Étoile. Le 29 juin, lors des scrutins législatifs, Paris répond favorablement à cet appel. L'ancrage à droite est confirmé. Tous les députés parisiens soutiennent le nouveau gouvernement Couve de Murville.

À côté de cette place première dans l'histoire nationale se repose la question du statut de la ville. Dès l'été 1944, le Comité parisien de la Libération a en charge le conseil municipal et le conseil général de la Seine. Cette parenthèse dure un peu plus de six mois (août 1944-mars 1945). En avril 1945 ont lieu les premières élections municipales de l'après-guerre. Les Parisiennes (ce sont les premiers scrutins auxquels participent les femmes) et les Parisiens doivent élire à la proportionnelle dans six secteurs 90 conseillers ; 108 listes sont en compétition sur l'ensemble des secteurs. En comparaison des élections de mai 1935, ces consultations marquent un tournant en redonnant à la gauche une majorité de sièges au sein du conseil municipal. Premier parti dans Paris, triomphateur de cette bataille électorale, le PCF obtient 30,9 % des suffrages exprimés et 27 sièges. Il retire son candidat (Henri Gourdeaux) à la présidence du conseil et permet ainsi le succès du socialiste André Le Troquer. Pendant deux années (1945-1947), la gauche retrouve la direction de l'Hôtel de Ville. Les municipales de 1947 bouleversent cet équilibre politique. Le RPF, créé en avril par le général de Gaulle, est porté par 55 % des votants à la tête du conseil municipal. Il compte 52 élus, soit une majorité absolue de sièges. Pierre de Gaulle est élu au poste de président. La division du camp gaulliste permet en 1953 la victoire de la droite indépendante et l'élection d'Édouard Frédéric-Dupont à la présidence de 1953 à 1954. Lui succèdent Bernard Lafay, Jacques Féron, Pierre Ruais. Les scrutins de mars 1959 marquent avec le succès de Pierre Devraigne (UNR) le retour des gaullistes à la direction de l'Hôtel de Ville. La guerre d'Algérie divise à nouveau la droite parisienne. En 1962, Pierre-Christian Taittinger conquiert le fauteuil présidentiel. Au fil de ces changements de personnel politique subsiste l'essentiel : Paris demeure une cité sous la tutelle de l'État. Parallèlement à l'élaboration d'un nouveau projet de loi sur le nouveau statut de Paris, la droite giscardienne et le mouvement gaulliste s'opposent de plus en plus directement. Les succès parisiens de Valéry Giscard d'Estaing à la présidentielle de 1974 accélèrent le changement. Le chef de l'État espère voir élire à la mairie de Paris son candidat. La loi du 31 décembre 1975 donne (redonne) à la capitale un maire.

« Après le débat au Parlement, la loi finalement votée comprend des différences sensibles avec le projet du gouvernement. Le rôle municipal de Paris est privilégié par rapport à son rôle départemental... Le nombre de conseillers est fixé à 109 : le gouvernement a refusé le chiffre supérieur souhaité par les conseillers de Paris et admis par la Commission des lois. Les dispositions concernant la durée et le nombre des sessions, la convocation du Conseil de Paris, l'élection du maire, la constitution du Conseil en comité secret sont supprimées, le droit commun étant appliqué sur ces matières. La limitation à deux mandats du maire est abandonnée. Le nombre d'adjoints est fixé à 27. »

La campagne municipale de mars 1977 prend rapidement les allures d'une bataille pour Paris. Sur le perron de l'Élysée, Michel d'Ornano, ministre de l'Industrie et maire de Deauville, annonce sa candidature (nov. 1976). La réaction gaulliste (ou chiraquienne) se prépare. Le 11 janvier 1977, Jacques Chirac, ancien Premier ministre, lance son offensive. Sa candidature donne à ces scrutins municipaux une tout autre dimension.

« Je viens dans la capitale de la France parce que, dans notre histoire, depuis la Révolution de 1789, chaque fois que Paris est tombé, la France a été vaincue » (J. Chirac).

Une fois encore, à un an des législatives, Paris est bien cette scène capitale de la vie politique française. La ville devient, le temps d'une élection nationale, le centre d'un affrontement entre le président du nouveau RPR (le mouvement a été créé en décembre 1976), principale composante de la majorité parlementaire, et le chef de l'État au travers de la candidature du ministre de l'Industrie Michel d'Ornano. La gauche conduite par Henri Fizbin (PCF) et Georges Sarre (PS) présente des listes d'union. Autre intérêt de ces consultations, la participation du tout jeune mouvement écologiste de Brice Lalonde.

Les votes des Parisiens les 13 et 20 mars puis celui des conseillers le 25 mars (67 voix sur 109) font de Jacques Chirac le treizième maire de Paris.

Le statut de la ville n'est pourtant pas définitivement établi. En juin 1982, le gouvernement de Pierre Mauroy annonce un nouveau projet visant à redécouper la capitale en 20 mairies. Jacques Chirac dénonce une entreprise de destruction.

La réforme du statut parisien ouvre les hostilités entre le maire de Paris et l'exécutif. Deux ans après l'élection de François Mitterrand, dans un contexte de grandes tensions politiques, les élections parisiennes voient l'affrontement des listes de Paul Quilès et du maire sortant. En mars 1983, le grand chelem électoral des listes de J. Chirac (20 mairies gagnées) constitue un échec pour le chef de l'État. Cette domination du RPR sur la capitale est confirmée en 1989. En 1995, l'élection de Jacques Chirac à la présidence de la République met un terme à une carrière de dix-huit années passées à la tête de l'Hôtel de Ville et ouvre une succession. Le 22 juin, Jean Tibéri devient maire de Paris. La transition politique est des plus difficiles : affaires judiciaires, divisions internes entre les droites parisiennes. La majorité municipale se présente en mauvaise posture lors de la consultation municipale de mars 2001. Dans un contexte national de cohabitation, les listes de la gauche plurielle remportent 12 arrondissements et sont majoritaires en sièges. Bertrand Delanoë, sénateur socialiste, est élu maire de Paris. La gauche reconquiert la capitale. En 2008, le bilan municipal de Bertrand Delanoë est largement approuvé. Face à la liste UMP de Françoise de Panafieu, le maire socialiste sortant conforte son ancrage parisien. La gauche est majoritaire en voix sur la capitale et en sièges au sein du conseil de Paris. Lors de la présidentielle d'avril-mai 2012, François Hollande devance Nicolas Sarkozy. Le 6 mai, il obtient 55,6 % des suffrages exprimés. Sur cet élan, la majorité présidentielle remporte 12 des 18 députations de Paris. Parmi les élus de l'UMP, François Fillon, Premier ministre de 2007 à 2012, s'installe dans le paysage parisien. Dans le calendrier électoral, les prochaines échéances municipales constituent un rendez-vous essentiel dans la vie politique de la capitale… et de la France.

IV. – Les grands travaux

Les grands projets et travaux qui modèlent le Paris de cette fin de siècle débutent dès les années 1950. Le contexte économique (les Trente Glorieuses) est porteur. À l'ouest de la capitale, la construction du CNIT (Centre national des industries et techniques) achevée en 1958 constitue l'embryon du second centre des affaires. La capitale s'offrait ainsi son Manhattan dans une période marquée par la croissance. En 1969, la création sur le site d'une gare RER donne à ce quartier sa véritable dimension.

En 1958, les premiers et très modernes bâtiments de l'UNESCO (place de Fontenoy) sont inaugurés. Pendant plus de dix années (1952-1963), la Maison de la Radio de l'architecte Henry Bernard est l'un des grands chantiers du 16e arrondissement. Des transformations s'opèrent dans plusieurs quartiers parisiens (le Marais, Saint-Germain-des-Prés, Montparnasse, les Halles). Une des priorités du conseil municipal a été la sauvegarde et la restauration du Marais (120 ha), qui est concerné au premier chef par la loi de 1962, présentée par le ministre de la Culture André Malraux, sur les quartiers d'intérêt historique et archéologique à sauvegarder. De nombreux hôtels (le plus célèbre : l'hôtel de Sully, l'hôtel de Rohan), les jardins de Saint-Paul sont remis en valeur.

Dès l'entre-deux-guerres, l'idée de la réorganisation du vaste marché des Halles s'est imposée aux gouvernements. La réalité parisienne héritée de la fin du XIXe siècle est en inadéquation avec les besoins de la région. Le déménagement des Halles est décidé dans les débuts de la Ve République (1962). Il entraîne la construction du marché de la Villette et de Rungis (Val-de-Marne) et l'amorce d'un grand chantier dans le cœur de Paris. Les abattoirs de la Villette sont une opération désastreuse qui conjugue un scandale et un gouffre financier (un milliard de francs). En 1970, sans jamais avoir été réellement utilisés, ces abattoirs sont fermés puis détruits. Quant au devenir des pavillons Baltard, il reste sans réponse pendant près de dix années. Sur cet espace de plus de 2 ha sont finalement construits le Forum (commerces, cinémas, vidéothèque de Paris...), inauguré en septembre 1977, des espaces verts et le centre Beaubourg (prévu initialement à la Défense), ouvert en janvier 1977. Un des pavillons Baltard est conservé à Nogent-sur-Marne.

Les aménagements du quartier Montparnasse débutent en 1959. À la destruction des anciennes structures de la

SNCF et la reconstruction de la gare nouvelle (TGV) succède l'opération Maine-Montparnasse. Une fois encore, une
tour cristallise débats et controverses. De 1969 à 1973, il
faut 130 000 t de béton pour édifier la tour Montparnasse
haute de 210 m. Un projet abandonné proposait de prolonger l'autoroute A10 (radiale Vercingétorix) jusqu'à
ce quartier.

Les projets présidentiels entrent dans cet ensemble
de chantiers qui transforment la ville. Initiées au cours
du mandat, ces opérations sont souvent inaugurées par
un successeur.

Sur le plateau Beaubourg, au cœur de la capitale,
Georges Pompidou, le passionné d'art contemporain,
devient dès 1969 le maître d'œuvre du futur Centre d'art
et de culture dessiné par les architectes Piano et Rogers.
Dans ce vieux quartier s'impose non sans polémiques,
au fil des années, un bâtiment métallique (42 m de haut,
60 m de large et 160 m de long) composé de tuyaux
aux couleurs très vives. L'inauguration par le président Giscard d'Estaing a lieu le 31 janvier 1977 dans
un contexte politique dominé par la bataille municipale
d'Ornano-Chirac. Depuis, le quartier s'est animé (spectacles de rues, expositions) et dans cette zone piétonnière
un lien (un itinéraire) s'est progressivement constitué
entre le centre Pompidou et le forum des Halles. Dans
le 12e arrondissement, le palais omnisports de Bercy
recrée une animation sportive. La première manifestation lors de son ouverture (févr. 1984) marque le retour
de l'épreuve des six jours cyclistes de Paris.

Dans l'Est parisien, Valéry Giscard d'Estaing lance
le musée des Sciences et des Techniques sur le terrain de
la Villette (architecte : Adrien Fainsilber). La Cité des
sciences est ouverte en 1986. Sur cet espace coexistent
la superbe Géode (1985), dédiée au septième art (salle
de cinéma avec un écran sphérique), et le Zénith (1984),
consacré à la musique. Le musée d'Orsay naît aussi de
l'initiative présidentielle. La gare construite à la fin

du XIXe siècle, inscrite à l'Inventaire des monuments historiques, devient le cadre spectaculaire d'un musée consacré aux productions artistiques de 1848 à 1914. La magnifique façade de cette gare est un atout prestigieux pour cette nouvelle opération inaugurée en 1986 par F. Mitterrand, V. Giscard d'Estaing et J. Chirac. Le projet de création d'un Institut du monde arabe (architecte : Jean Nouvel) rencontre plus de difficultés. Sur le papier, il voit le jour en 1974. Mais il ne trouve définitivement qu'en 1980 son lieu d'implantation, en bordure de Seine près de Jussieu. Il est ouvert en 1987.

Quelques mois après sa première élection à la présidence de la République, François Mitterrand annonce officiellement ses desseins pour la capitale. Ses deux septennats sont l'expression d'une volonté, et d'un évident plaisir, à intervenir et marquer de son empreinte un paysage parisien qui lui est cher. Il doit, en revanche, renoncer (1983) à son ambition d'organiser une Exposition universelle à Paris en 1989. Les travaux présidentiels concernent plusieurs quartiers. Le dossier du Grand Louvre est le plus célèbre. Il impose tout d'abord le départ des services du ministère des Finances. Les bâtiments de Bercy (architecte : Paul Chemetov), avancés sur la Seine, les accueilleront (1989). La réalisation de la pyramide de l'architecte Leoh Ming Pei a été dans un premier temps très discutée. Au cœur de la cour Napoléon, cette pyramide de verre blanc translucide (22 m de haut, 35 m de côté) est une pièce essentielle, aujourd'hui appréciée, de cet ensemble architectural inauguré en mars 1989.

Avec la préoccupation de redynamiser les quartiers de l'Est, l'Opéra-Bastille est en préparation depuis février 1982. Il ouvre à la veille des cérémonies du bicentenaire de la Révolution, prise de la Bastille oblige ! Mais il ne prend son rythme de croisière que deux ans plus tard. Le projet de Carlos Ott demeure le plus contesté tant par l'aspect esthétique de la réalisation que par son coût.

La Grande Arche (un cube évidé de 112 m de haut) vient parachever le développement du quartier des affaires, déjà évoqué, de la Défense. La construction de l'architecte Otto von Spreckelsen s'inscrit dans la continuité d'une perspective est-ouest du Louvre à la Défense. Le projet mitterrandien prolonge ainsi les desseins royaux et impériaux, des Tuileries à la Concorde et à l'Étoile. L'édifice inauguré le 18 juillet 1989 est à la fois un arrêt du regard et une ouverture au-delà de l'Arche elle-même.

> Un cube ouvert,
> Une fenêtre sur le monde
> Comme un point d'orgue provisoire sur l'avenue
> Avec un regard sur l'avenir…
> L'« Arc de triomphe de l'homme » se verra de loin dans toutes les directions.
> En approchant de cette arche, on découvre que c'est une grande place couverte où l'on peut se mêler aux autres et d'où il est facile de partir à la découverte de chaque pièce du grand complexe (Johan Otto von Spreckelsen).

Le dernier des travaux présidentiels est la Bibliothèque de France (architecte : Dominique Perrault), aujourd'hui nommée bibliothèque François-Mitterrand. Cette bibliothèque ouverte en 1996 accueille progressivement la quasi-totalité des ouvrages de l'ancienne Bibliothèque nationale de la rue Richelieu et devient un pôle pour les chercheurs du monde entier. Elle se situe sur la ZAC de Tolbiac dans un 13e arrondissement rénové par les aménagements de la vaste opération Paris-Rive gauche, qui transforme la physionomie des quartiers entre la gare d'Austerlitz et le périphérique.

En 2005, après douze années de travaux, le Grand Palais rouvre avec une verrière d'une exceptionnelle beauté (coût de l'opération : 101 millions d'euros). L'année suivante, le panorama muséal (et architectural) s'agrandit avec l'inauguration du musée des Arts et Civilisations d'Afrique, d'Asie, d'Océanie et des Amériques. Sur le quai Branly, inauguré dans les derniers mois de sa présidence, ce musée des arts premiers a été l'objet d'une attention particulière de la part de Jacques Chirac.

Ces grandes réalisations ne doivent pas faire oublier d'autres projets qui concernent le quotidien de millions de Parisiens et de banlieusards. Dans le domaine des transports, la RATP ouvre la ligne Meteor (1995) qui permet une liaison entre Bercy, Tolbiac, la gare de Lyon avec le Châtelet et la gare Saint-Lazare. Quant à la SNCF, elle établit une ligne allant de la Villette à la Défense (1996). Ajoutons, concernant la circulation, la mise en service du tramway (1er décembre 2006) sur les boulevards des Maréchaux sud (Porte d'Ivry – Porte Garigliano) avec pour fin 2012 une prolongation vers le nord (Porte de la Chapelle) et la réussite du transport à vélo à travers le « Velib » (réseau de location de bicyclettes).

Paris gagne aussi des espaces de verdure (près de 90 ha en une décennie) : square de la Roquette, parc Georges-Brassens (avec sous la Halle aux chevaux un célèbre marché aux livres chaque fin de semaine), parc André-Citroën, parc de la Villette, parc des Buttes-Chaumont, plus récemment l'itinéraire vert allant de la Bastille au bois de Vincennes et le parc de Bercy. Avec ses jardins, Paris est devenue l'une des capitales les plus vertes d'Europe. Et symboliquement se redessine pour 2013 la place de la République en une place populaire du XXIe siècle, plus chaleureuse, plus intime (avec 30 % d'arbres en plus). Oui, Paris-Paname continue de surprendre et de séduire...

CONCLUSION

En ce début de XXIe siècle, Paris, avec une super-ficie de 105 km², compte 2,2 millions d'habitants (au 1er janvier 2009). La ville est le cœur de l'Île-de-France (12 000 km², 11,7 millions d'habitants en 2009). Paris n'a pas cessé d'occuper une place singulière dans notre pays : capitale politique, économique, culturelle. Elle est le siège des plus importantes entreprises nationales. Les grands travaux présidentiels de ces trente dernières années en ont fait un pôle culturel mondial. Places et quartiers illustrent le rayonnement national et interna-tional d'une capitale qui peut prétendre détenir un rôle de premier plan dans l'Europe du XXIe siècle.

Nostalgie ? Poids du passé ? Ville-musée ? Paris demeure surtout le haut lieu d'une alchimie, d'un mythe, où se mêlent images et imaginations. Dans les petites rues du Marais, le long des quais de la Seine, sur le Pont-Neuf (fêté en 1985 par l'artiste Christo), dans les allées du Luxembourg ou du parc Montsouris, au cœur du quar-tier Notre-Dame-des-Champs ou du faubourg Saint-Antoine..., Paris a gardé les traces de son histoire, et le promeneur, l'éternel flâneur, le ressent. Tout un passé imprègne encore la capitale...

« Imaginez-vous cette ville universelle, où chaque pas sur un pont, sur une place, rappelle un grand passé où à chaque coin de rue s'est déroulé un fragment d'Histoire » (Goethe).

BIBLIOGRAPHIE

Depuis 1970, les ouvrages regroupés dans la collection « Nouvelle Histoire de Paris » abordent les grandes périodes de l'histoire de la ville. Ils sont des outils indispensables pour toute étude sur la capitale. La dernière publication (1998) est le livre écrit par Jean Bastié et René Pillorget, *Paris de 1914 à 1940*.

ÉTUDES GÉNÉRALES

Chadych Danielle, Leborgne Dominique, *Atlas de Paris. Évolution d'un paysage urbain*, Parigramme, 1999.

Favier Jean, *Paris. Deux mille ans d'histoire*, Fayard, 1997.

Fierro Alfred, *Histoire et dictionnaire de Paris*, Robert Laffont, coll. « Bouquins », 1996.

Gaillard Marc, *Paris de place en place. Guide historique*, Martelle, 1997.

Hazan Éric, *L'Invention de Paris. Il n'y a pas de pas perdus*, Le Seuil, 2002.

Le Clère Marcel (dir.), *Paris de la Préhistoire à nos jours*, Bordessoules, 1985.

Rouleau Bernard, *Paris : histoire d'un espace*, Le Seuil, 1997.

ÉTUDES PARTICULIÈRES

Alistair Horne, *Seven Ages of Paris. Portrait of a City*, Pan Books, 2002.

Ambroise Rendu, *Paris-Chirac. Prestige d'une ville, ambition d'un homme*, Plon, 1987.

Audiat Pierre, *Paris pendant la guerre*, Hachette, 1946.

Bancquart Marie-Claire, *Paris « Belle Époque » par ses écrivains*, Adam Biro, 1997.

Barroux Robert, *Paris des origines à nos jours*, Payot, 1951.

Benjamin Walter, *Paris, capitale du XIXe : le livre des passages*, Paris, 1997.

Bernard Jean-Pierre Arthur., *Le Goût de Paris*, Mercure de France, 2004.

Blanc Christian, *Le Grand Paris du XXIe siècle*, Le Cherche-Midi, 2010.

Bouvet Vincent, Durozoi Gérard, *Paris 1919-1939. Art, vie et culture*, Hazan, 2009.

Combeau Yvan, Nivet Philippe, *Histoire politique de Paris au XXe siècle. Une histoire locale et nationale*, Puf, 2000.

Dansette Adrien, *Histoire de la libération de Paris*, Paris, 1949.

Des Cars Jean, Pinon Pierre, *Paris-Haussmann*, Pavillon de l'Arsenal, Picard Éd., 1991.

Dubech L., Espezel P. de, *Histoire de Paris*, Éditions Pittoresques, 1931.

Du Camp Maxime, *Paris : ses organes, ses fonctions et sa vie dans la seconde moitié du XIXe siècle*, Paris, 1869-1875.

Dufresne Claude, *Les Révoltes de Paris (1358-1968)*, Bartillat, 1998.

Duval Paul-Marie, *Paris antique des origines au IIIe siècle*, Paris, 1961.

Druon Maurice, *Paris de César à saint Louis*, Hachette, 1964.

Gaillard Jeanne, *Paris, la ville (1852-1870)*, L'Harmattan, 1998.

Giacone Alessandro, *Les Grands Paris de Paul Delouvrier*, Descartes et Cie, 2010.

Gravier Jean-François, *Paris et le désert français*, Le Portulan, 1947.

Hauser Élisabeth, *Paris au jour le jour*, Éd. de Minuit, 1968.

Héron de Villefosse René, *Histoire de Paris*, Paris, Union bibliophile, 1950.

Lanoux Armand, *Paris, 1925*, Robert Delpire, 1957.

Loyer François, *Paris, XIXe siècle. L'immeuble et la rue*, Hazan, 1994.

Marchand Bernard, *Paris. Histoire d'une ville, XIXe-XXe siècles*, Le Seuil, 1993.

Pignol Jean-Luc, Garden Maurice, *Atlas des Parisiens : de la Révolution à nos jours*, Parigramme, 2009.

Prochasson Christophe, *Paris 1900. Essai d'histoire culturelle*, Calmann-Lévy, 1999.

Robb Graham, *Une histoire de Paris par ceux qui l'ont fait*, Flammarion, 2010.

Wilhem Jacques, *La Vie quotidienne des Parisiens au temps du Roi-Soleil, 1660-1715*, Hachette, 1977.

Paris, présent et avenir d'une capitale, colloque des *Cahiers de civilisation*, IPN, 1964.

Il faut ici signaler la parution de trois CD-Rom rassemblés sous le titre : *50 plans de Paris des Archives nationales du XVIe au XIXe*.

Le passionné de Paris n'oubliera pas de relire l'ouvrage de Louis Chevalier (*Les Parisiens*) et celui de Léon-Paul Fargue (*Le Piéton de Paris*). Il ne doit pas manquer de consulter le fonds Le Senne de la Bibliothèque nationale de France qui réunit des centaines de livres consacrés à tous les aspects de la vie parisienne.

TABLE DES MATIÈRES

Mis en pages et imprimé en France
par JOUVE
1, rue du Docteur Sauvé, 53100 Mayenne
février 2013 - N° 2063387W